NONFICTION
論創ノンフィクション
036

定点観測 新型コロナウイルスと私たちの社会

2022年後半

感染爆発を繰り返すなかでウィズコロナは可能なのか

森 達也 編著

論創社

目次

【編集部より】

・本書の各論考は、巻頭の斎藤環氏のものを除いて、あいうえお順（執筆者名）で掲載した。

・基本的に、二〇二二年七月一日から一二月三一日を定点観測の対象とした。

［医療］

ウィズコロナ時代の日本の選択とは

斎藤 環

斎藤 環（サイトウ・タマキ）

一九六一年、岩手県生まれ。精神科医。筑波大学医学研究科博士課程修了。爽風会佐々木病院等を経て、筑波大学医学医療系社会精神保健学教授。専門は思春期・青年期の精神病理学、「ひきこもり」の治療・支援ならびに啓発活動。著書に『社会的ひきこもり』（PHP新書）、『世界が土曜の夜の夢なら』（角川文庫）、『オープンダイアローグとは何か』（医学書院）、『「社会的うつ病」の治し方』（新潮選書）、『中高年ひきこもり』（幻冬舎新書）、『コロナ・アンビバレンスの憂鬱』（晶文社）、『「自傷的自己愛」の精神分析』（角川新書）ほか多数。

はじめに

この「定点観測」シリーズも今回でいったん終了とのことである。二〇二三年一月九日現在、日本は第八波の最中にあり、コロナ禍が終了したとはとうてい言い難い状況ではある。しかし、全世界的にも、社会は新型コロナウイルス感染症（以下、新型コロナ）と共存していくしかないという判断が主流になりつつあり、日本も遅ればせながら、その方向に舵を切ろうとしている。そうだとすれば、今後コロナ関連のニュースは次第に目立たなくなり、多くが忘却されていくことになろう。二〇二〇年から全世界にまん延した新型コロナのパンデミック、そのあらましが忘却されることを予防しようとする本シリーズの意図は、十分に達成できたのではないだろうか。

それではいつものように、二〇二二年後期のコロナ禍の状況についてみていこう。

感染状況

国内の感染者数の推移を図1に示す。[1] 前回の定点観測は第七波の渦中だったが、今回は（一月九日現在）第八波の最中である。二〇二二年七月にはじまった第七波は、同年九月には収束傾向にあったが、あまり間を置かずに二〇二二年一〇月から再び感染者数が増加しはじめた。増加の速度は第七波ほどではないが、現時点でもまだピークは見えない。感染者数は一月六日に二四万人に達し、第八波では最大となった。死者数の増加も顕著であり、一月六日に発表された新型コロナウイルスによる全国の死者数は四五六人で、一日の発表としては過去最多となった。感染者数に比して死者数が多い傾向については、感染者数が正確に把握されていない可能性が指摘されている。

感染状況は必ずしも改善したわけではないが、第七波から第八波にかけて、政府は基本的には制限や規制を緩和する方向を打ち出してきた。緊急事態宣言は二〇二一年九月二八日以降、まん延防止等重点措置は二〇二二年三月一七日以降、一度も出されていない。

オミクロン株が主体となった第六波では、感染者数の増加に比して、致死率や重症化率は以前と比べて低下したため、第七波では行動制限は行わず、濃厚接触者の待機期間も短縮された。二〇二二年九月にはオミクロン株に対応したワクチン接種が開始され、海外では社会・経済活動が正常化されつつあることもあり、感染者の全数把握を簡略化し、患者の療養期間は短縮され、空港での水際対策も緩和された。感染拡大防止と平行して、社会経済活動の活性化を両立させることが目標となったのである。

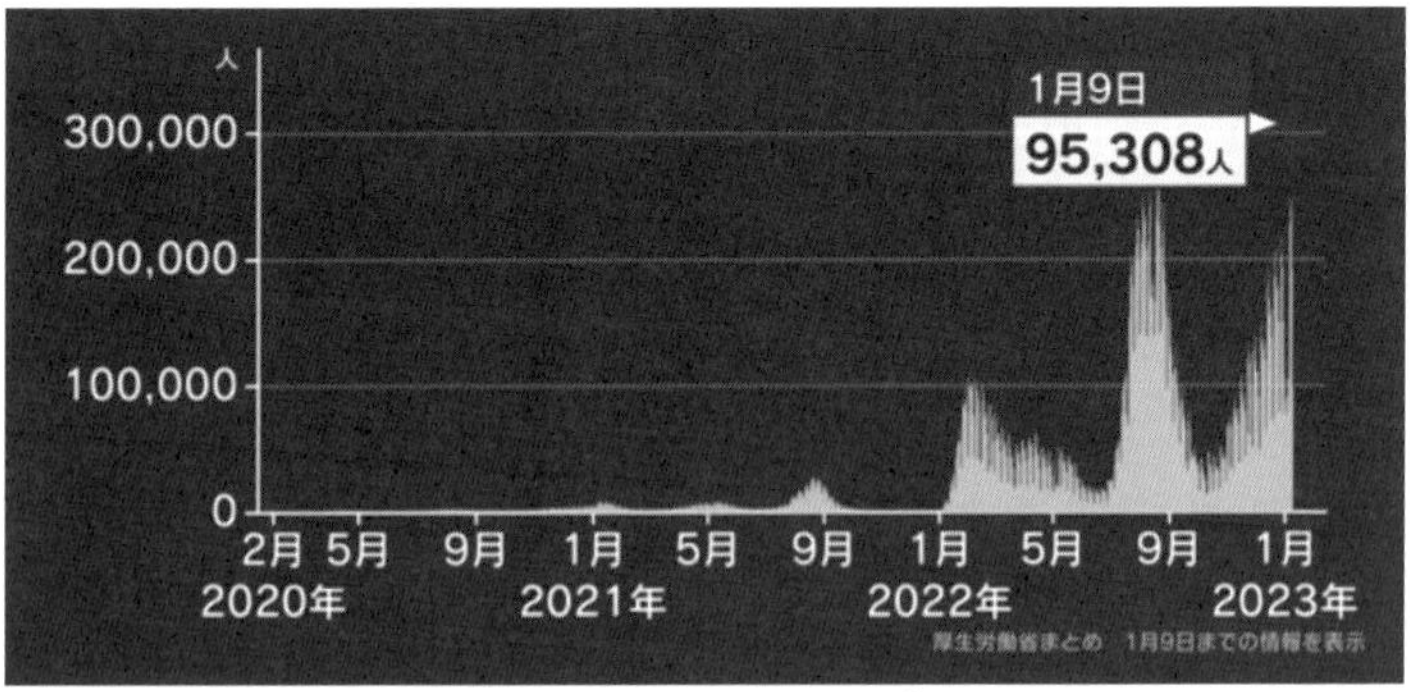

図1　国内の感染者数の推移[1]

このほかにも、新型コロナの感染症法上の位置づけを季節性インフルエンザなどと同じ「五類」などに見直す可能性についても検討が進められている。見直した場合の社会的影響については、二〇二〇年後期の寄稿で注意喚起しておいたので、ここでは割愛する。

日本政府は一〇月一一日以降、入国者総数の上限を撤廃し、六八の国・地域に対してビザ免除措置を再開した。外国人の新規入国については、日本国内に所在する受入責任者による入国者健康確認システム（ＥＲＦＳ）における申請を不要とし、新型コロナへの感染が疑われる症状がある帰国者・入国者を除き、入国時検査を実施せず、入国後の自宅又は宿泊施設での待機、待機期間中のフォローアップ、公共交通機関不使用等を免除した。ただし、全ての帰国者・入国者について、世界保健機関（ＷＨＯ）の緊急使用リストに掲載されているワクチンの接種証明書（三回）または出国前七二時間以内に受けた検査の陰性証明書のいずれかの提出は求められることになる。

こうした措置により、二〇二二年一〇月に国内のホテルや旅館などに宿泊した外国人は観光庁によれば延べ二一六万人となり、二〇二一年同月の七倍近くとなった。また、二〇二二年の年末から年明けにかけて成田空港から出入国する人は六一万八〇〇〇人余りと、二〇二一年の同時期の一二倍以上になった。しかしそれでも、新型コロナの感染が拡大する前の二〇一九年の同時期に比べると、半分にも満たないという。

第八波ではインフルエンザとの同時流行が懸念されたため、重症化リスクの低い人は自宅で抗原検査キットで自ら検査し、陽性だった場合はオンラインや電話で受診するなど、医療機関の逼迫《ひっぱく》を防ぐ措置が推奨された。二〇二二年の年末は、コロナ禍ではじめて帰省や旅行について慎重な対応が呼びかけられない年末年始となり、国内旅行も全国旅行支援の影響もあって、ほぼコロナ前の状況に回復しつつある。観光庁が発表した主要旅行業者四三社・グループの二〇二二年一1月旅行取扱状況（速報）によると、国内旅行は前年同月比五六％増、二〇一九年同月比では〇・九％増の二五六四億八九一二万円と、ほぼコロナ前の水準に戻っている。[2]

世界の感染状況

図2に世界の新型コロナ感染者数および死亡者数の推移を示す。

二〇二三年一月一日時点で、全世界の累積感染者数は六億五六三九万八〇四三人、累積死亡者数は六六七万二七五二人となっている。累積感染者数の国際比較では、一位から五位までをみると、①米国（一億三六一万四四一一人）、②インド（四四六八万一八八四人）、③フランス（三九四六万一三八七人）、④ドイツ（三七六三万七八〇七人）、⑤ブラジル（三六六八万二七

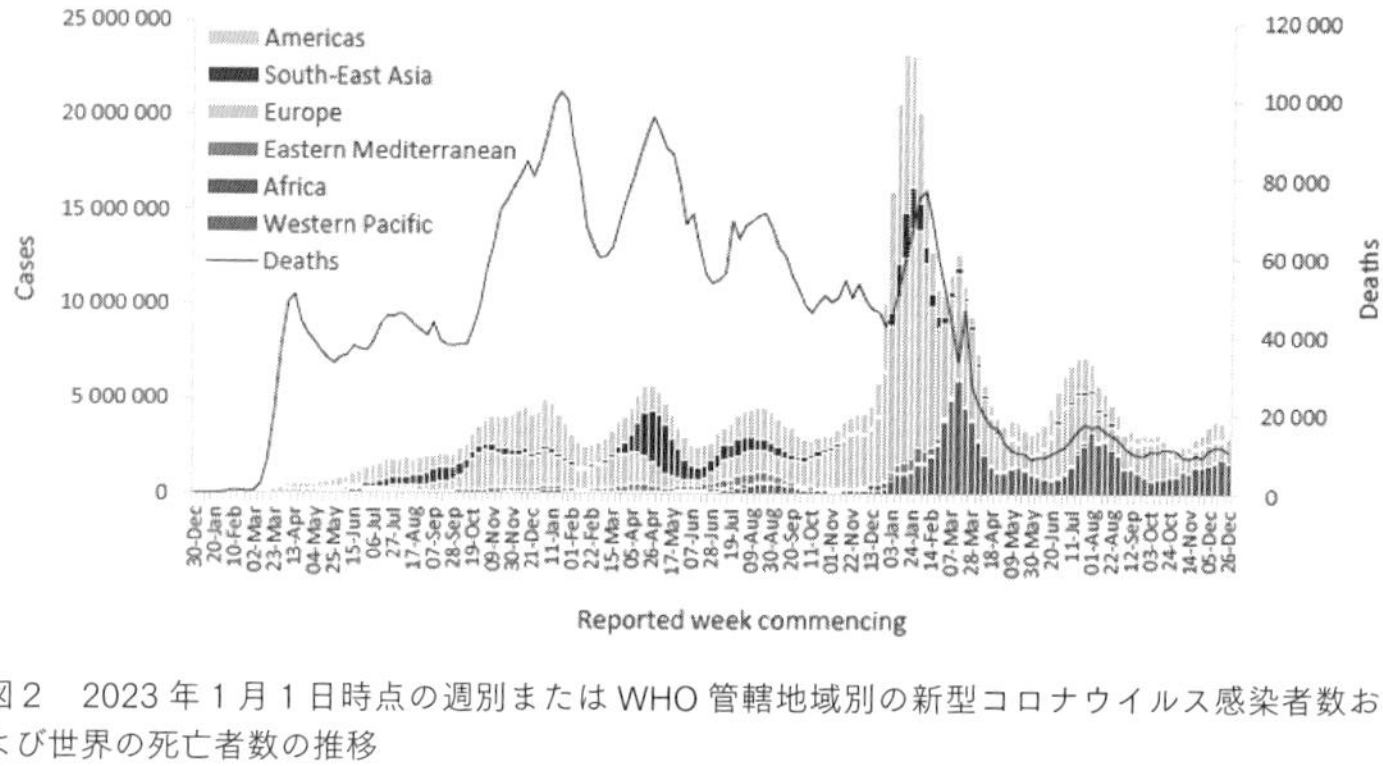

図2　2023年1月1日時点の週別またはWHO管轄地域別の新型コロナウイルス感染者数および世界の死亡者数の推移

九九人）で、日本は三一七二万三六三〇人で六位だった。累積死者数では①米国（一一二万五八九五人）、ブラジル（六九万五五九一人）、③インド（五三万七二八人）、④ロシア（三九万四五二九人）、⑤メキシコ（三三万一六〇五人）の順であり、日本は六万三七八二人で二二位だった（二〇二三年一月一八日）。[3]

また、二〇二二年一二月五日から二〇二三年一月一日までの約一カ月間の新規感染者数の多い国は、日本がダントツで九四万六一三〇人、以下五位までは②韓国（四五万七七四五人）、③米国（三九万三五八七人）、④中国（二一万八〇一九人）、⑤ブラジル（二〇万六九四四人）となっている。また、一月一日の直近一週間における新規死亡者数は、①米国（二五〇一人）、②日本（一九四一人）、③ブラジル（一一一〇人）、④フランス（八〇三人）、⑤中国（六四八人）だった。日本の感染者数が少ない理由として「ファクターX」が取り沙汰されたのが懐かしく思われるほどの状況である。[4] ただ、現状ではまだ図3[5]に示す通り、日本は人口一〇〇万人あたりの死者数は相対的にはかなり少ない。

新型コロナでは、高齢者の死亡率が高いことが知られてい

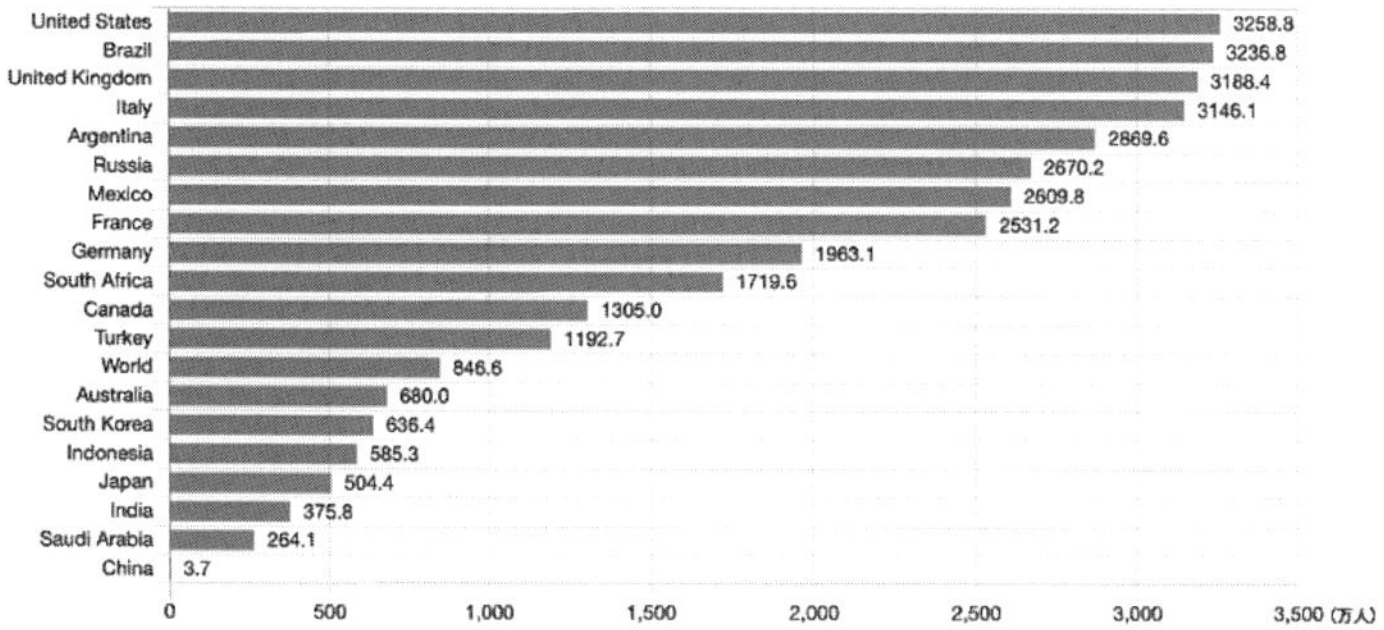

図３　人口あたりの新型コロナウイルス死者数の推移【世界・国別】[5]

る。高齢化率が世界一の日本が、これほど死亡率が低い理由については、一つの仮説が提示されている。[6] 東京慈恵会医科大学分子疫学研究部の浦島充佳《みつよし》教授らの研究によれば、コロナ禍前の〝六〇歳の平均余命〟が長ければ長いほど、コロナ禍の超過死亡率は低くなっていた。平時から予防し得る病死を確実に予防できる国では、新型コロナパンデミックに対してもレジリエントであるという。そこには地域における健康プログラムや質の高い地域医療と言った多くのリソースが関与しているとされている。

さて、国際的には多くの国がCOVID－19関連の規制を撤廃しつつあることは前回も述べた通りである。二〇二二年九月一八日には、アメリカのバイデン大統領がコロナ収束を表明するなど、世界はポストコロナ、ウィズコロナへ向けて進んでいるのが現状である。遅ればせながら日本もこの動きに追随しつつあるのは先述の通りである。

この流れにおいて、二〇二二年後半で最も大きく政策転換したのは中国だった。知られる通り中国は、主要経済国の中で唯一、三年間にわたって「ゼロコロナ」政策をとり続けてきた。小規模な流行であっても当局は集団検査と隔離、即時ロックダウンを実施し、感染拡大を抑え込んできた。しかし、こうした厳しすぎる規制に国民は不満を強めており、二〇二二年一一月には、中国の複数の大都市で激しい抗議行動が起こった。天安門事件以来とも言われる激しい国民の反発は政府を動かし、ゼロコロナ政策は廃止され、さまざまな規制が緩和されつつある。その結果と言うべきか否か、中国国内での感染者数が急増中である。中国は一月二二日に春節を迎え、その前後の七連休に、述べ二一億人が移動すると言われている。これが感染者数のどう影響するのか、制限撤廃後はじめての春節だけに予断を許さない状況である。

変異株の移り変わり

大阪大学医学部の忽那《くつや》賢志《さとし》教授の解説によれば、オミクロン株が出現したのは二〇二一年一一月で、それから一年あまりが経過したが、現在もオミクロン株の亜系統が九九・九%を占めており、それ以外の系統の変異株はほとんど見つかっていない。[7] 日本では、第六波がはじまった二〇二二年一月頃からオミクロン株BA・1が主流となり、その後BA・2に置き換わり、第七波の初期からBA・5に置き換わって、現在もBA・5が半分以上を占めている。その後BQ・1、BF・7、BN・1などの亜系統が増えつつあるが、BA・5に比べて極端に感染力が強いというわけではないとみなされている。ちなみに「BQ・1」からさらに変異した「B9・1・1」は「ケルベロス」（ギリシャ神話に登場する、三つの頭を持つ地獄の番犬）と呼ばれている。

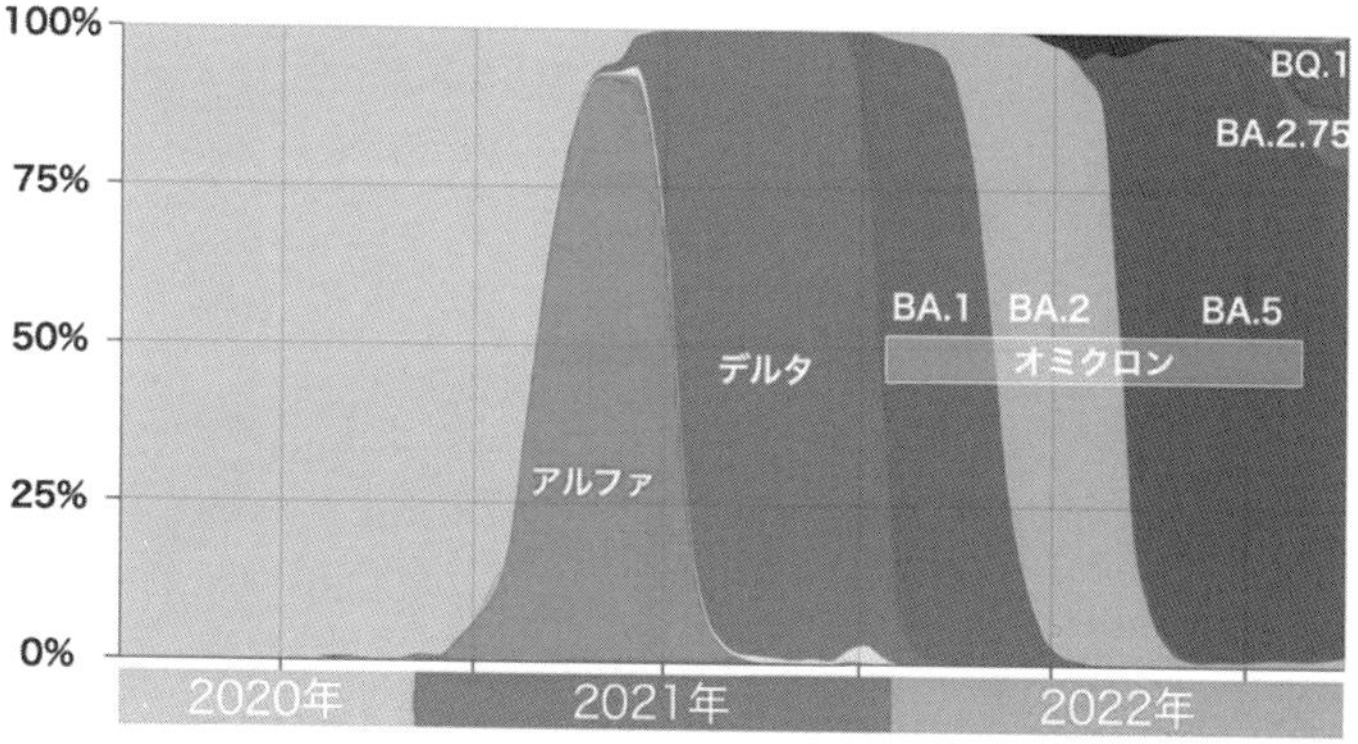

図4　日本での変異株の移り変わり[7]

m3.comの千葉雄登《ゆうと》によれば、現在最大の懸念は、北米を中心に広がりを見せている新たな亜系統「XBB・1・5」だ。[8] 米・CDC（米疾病予防管理センター）は二〇二三年一月七日、アメリカ国内の新型コロナ感染の二七．六％はXBB・1・5によるものであると公表し、この変異株が比較的速いスピードで広がっていることを示唆した。ちなみに「XBB」系統は、「BA・2」から派生した二つの異なる系統が交わってできたことから、「グリフォン」（上半身がワシで下半身がライオンの神話上の怪物）と呼ばれている。

国立感染症研究所・感染症疫学センター長の鈴木基《もとい》によれば、[8] XBB・1・5が他の亜系統よりも「感染・伝播性の面で優越性を持っている」としており、中和抗体はほぼ効果を発揮せず、感染予防についてはワクチンではなく他の感染対策に頼るべきフェーズに入っている可能性を示唆している。このほかにも、細胞のACE2受容体との結合能が上昇しており、これまでの変異株の中でも免疫逃避が最も強いとされており、感染力が強い株であることを示唆する根拠が多数示されている。

フルロナ感染

インフルエンザについては、COVID－19と同時流行が懸念されてきたが、二〇二〇年から二一年にかけてと、二〇二一年から二〇二二年にかけてのシーズンにおいては、感染者数は歴史的な低水準で、明らかな流行はみとめなかった。これは、マスク着用や手洗い励行といったコロナ対策の習慣が、新型コロナ以上にインフルエンザ予防に寄与したためと考えられている。これは以前にも述べた通り、インフルエンザウイルスの感染力が、COVID‐19のそれにはおよびもつかないためと考えられている。

しかし、二〇二二年末は様相が異なっている。厚生労働省の集計では、一二月二六日から一月一日までの一週間に、全国で九七六八人のインフルエンザ患者が報告された。すでに三〇都道府県で流行期入りの目安を超えており、同省は二〇二二年末に、三年ぶり流行入りを発表した。[9]

新型コロナと季節性インフルエンザの同時流行が懸念され、とりわけこの二種類のウイルスに同時感染する「フルロナ」が注目されている。これは「インフルエンザ」と「コロナ」を組み合わせた造語で、イスラエルやアメリカ、ブラジルなどでその存在が確認されている。

英国の研究チームによる報告では、二〇二〇年二月〜二一年一二月に、COVID‐19に感染死した患者約七〇〇〇人を調べたところ、三・二％がフルロナだった。フルロナの患者は重症化するリスクがあり、コロナだけの患者に比べ、人工呼吸器の装着が四・一四倍、死亡が二・三五倍だった。長崎大学の森内浩幸教授（感染症学）は、「インフルエンザはこの二シーズン、流行がなく、免疫が落ちている人が多い。同時感染に注意が必要だ」と指摘している。予防策としては、コロナワクチンに加え、積極的にインフルエンザワクチンの接種を受けることが推奨される。両ワクチンは、同時に接種しても有効性は落ちないことが確認されている。厚生労働省は、同時に感染の有無を調べられる簡易検査キット約三八〇〇万回分を確保しており、発熱患者の増加に対応すべく、オンライン診療の拡充などの対策を公表している。

ワクチンの評価

反ワクチン論者の論点の一つに、ブースター接種回数が世界一の日本で、感染者数も世界一になっているのは、ワクチンが無効か、あるいは有害であるため、というものがある。しかしこれは事実ではない。

ワクチン接種状況のグラフを図5に、[10] ワクチン接種回数の国際比較のグラフを図6に示す。[11] たしかに日本は接種回数が世界第一位であり、にもかかわらず最近の感染者数の急増ぶりは奇妙な現象に思える。この点についてはこの後の「ハイブリッド免疫」の項目で簡単な解説を試みたい。

ワクチン接種と死亡率の関係については、近畿中央呼吸器センターの倉原優による指摘がある。[12] 国際比較だと複数要因が複雑に関与するので、単純な比較は難しい。しかしアメリカの研究では、ワクチン接種率が低い州では死亡者数が多いというデータがある。接種率が高い一〇州と低い一〇州を比較したところ、死亡者数に二倍の差があった。[13] また、世界一八五の国

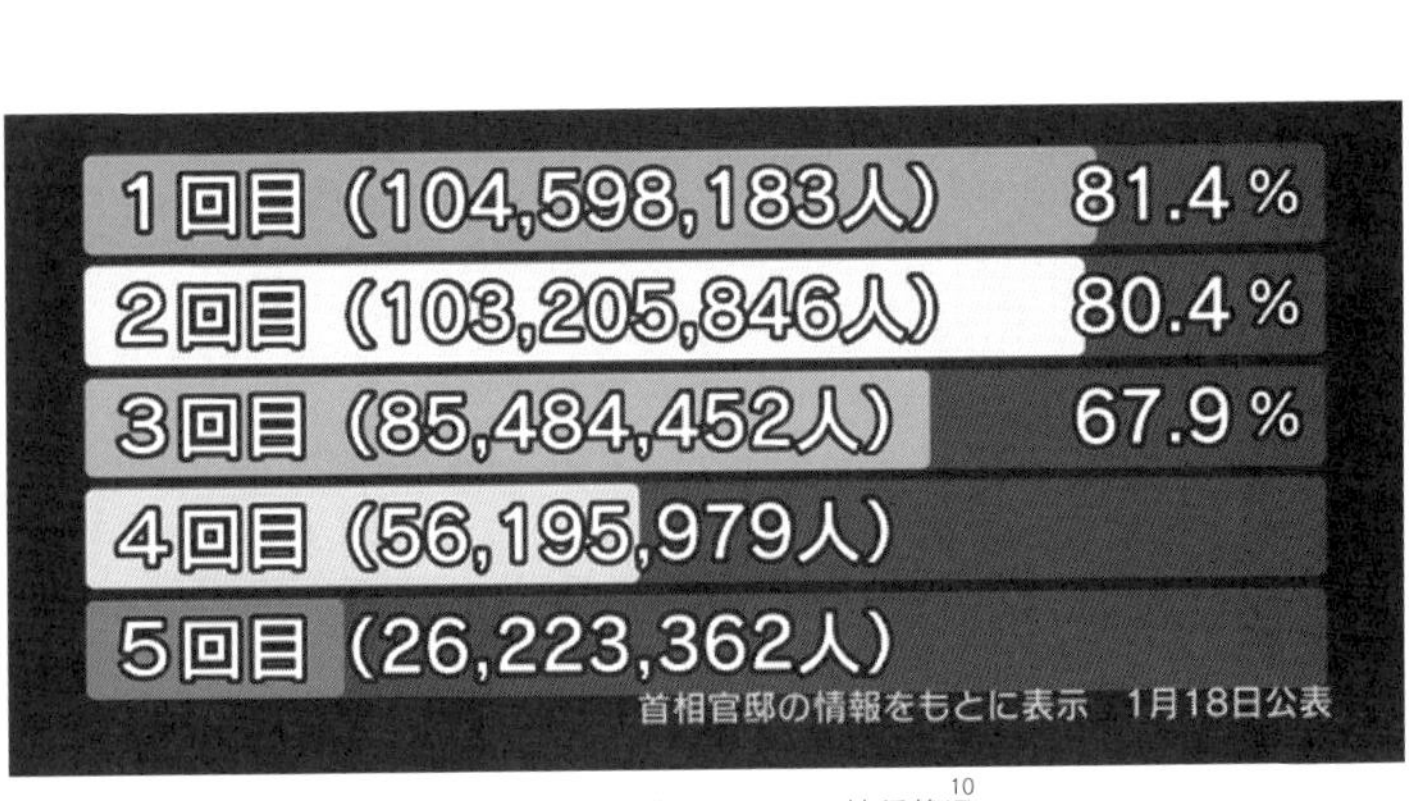

図5　日本国内のワクチン接種状況[10]

と地域を対象に、新型コロナワクチンが存在しなかったと仮定した場合の死者数を予測した研究では、二〇二一年にワクチンが無かったら三一四〇万人の超過死亡（医療崩壊による死亡を含む）が生じたと推定されており、このうち一九八〇万人の感染による死亡をワクチンが防いだとされている。[14]

精神科医としての筆者が個人的に関心を持っているのは、なぜ多くの有能な医師や研究者らが「闇落ち」、すなわちエビデンスの乏しい反ワクチン理論をＳＮＳやメディアで声高に主張するようになるのか、その心理的メカニズムのほうであるが、本題からずれるのでここでは深く立ち入らない。

ハイブリッド免疫の有効性

今回のコロナ禍は感染症について多くの知見をもたらしたが、筆者が個人的に最も興味深く感じたのは「ハイブリッド免疫」の概念だった。これはある意味で、ＣＯＶＩＤ－19の特異な感染状況がもたらした独

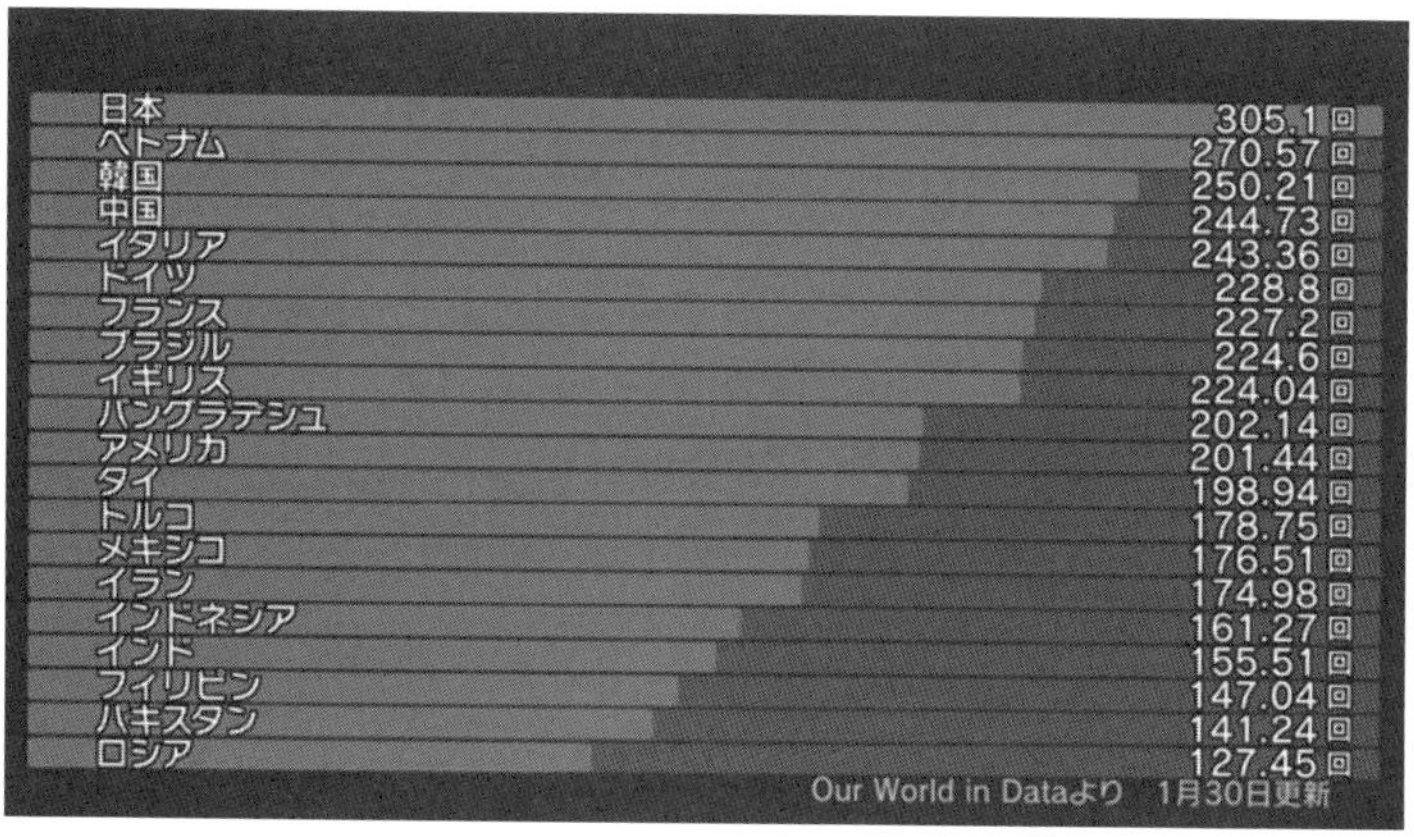

図6　世界のワクチン接種回数（100人あたり）[11]

特の免疫獲得スタイルであるように思われる。致死率の相対的に低いウイルスのパンデミックが長期におよび、変異株のワクチンが繰り返し接種され、それでも感染を防ぎきれないような状況下でなければ、その特異なメカニズムは解明され得なかったであろう。以下、忽那による解説を参照しつつ記述する。[15]

先述した通り、直近の状況では、日本における新規感染者数は世界で最も高い水準にある。マスクの着用率がきわめて高く、ワクチン接種率も高いわが国で、なぜこのような事態が起きているのだろうか。もちろん規制緩和による人流の増加や、ワクチン接種後の時間経過による予防効果の低減などの理由はあろうが、いずれも日本固有の要因とは言えない。他国ではすでに社会がポストコロナへ移行し、検査数も減少していることから、海外では感染者数が過小評価になっているという可能性もある。しかし、最大の要因と考えられているのは、「ハイブリッド免疫」である。

ハイブリッド免疫とは、簡単に言えば、ワクチンによる免疫と、感染による免疫を併せ持つことを意味している。従来の研究では、自然感染によって獲得される免疫よりも、ワクチン接種による免疫のほうが、予防効果が高いとされていた。しかし、オミクロン株のような、ワクチンだけでは感染を防ぎきれない変異株が登場してからは、ワクチンを打った人が感染する、あるいは感染した人がワクチン接種をする、のいずれかの形で獲得されたハイブリッド免疫こそが、最も予防効果が高いとみなされている。

オミクロン株が出現して以降、ワクチンによる感染予防効果は大きく低下している。特にB

A・5は、これまでのオミクロン株BA・1／BA・2と比べても、ワクチンによる感染予防効果が低い。ワクチン二回接種後、五カ月以上経つと発症予防効果が三五％に低下し、三回目のブースター接種によって六五％にまで高まるが、時間経過とともに低下する。その結果、ワクチン接種後の感染、いわゆるブレイクスルー感染が起きやすくなる。

例えばイギリスでは、二〇二一年に入ってから、S抗体（ワクチン接種または感染すると陽性になる）陽性者とN抗体（感染した人だけが陽性になる）陽性者との乖離が生じた。これは、新型コロナワクチン接種が開始されたことによるものであり、二〇二一年半ばには国民の九〇％以上がS抗体陽性になっている。その一方で、二〇二二年に入ってオミクロン株の感染拡大により、急激にN抗体の陽性率が高くなっている。二〇二一年末に約二〇％だったN抗体陽性率が、現在は七〇％にまで上昇している。これは、イギリスでは人口の約七割が「ワクチンによる免疫」と「感染による免疫」の両方、すなわちハイブリッド免疫を持っていることを意味する。ちなみに、アメリカもすでに多くの人がオミクロン株に感染しているが、ワクチン接種率が他国よりも低いため多くの重症者・死亡者が出ている現状がある。一方、日本はワクチン接種率が高いが、時間経過により感染予防効果が低下し、オミクロン株に感染する人がまだ多くない、つまりハイブリッド免疫を獲得した人が少ないため、感染者が急増していると考えられる。

一二歳以上の国民の九八％が二回のワクチン接種を完了し、さらに八二％がブースター接種となる三回目接種を完了しているポルトガルでの研究報告によれば、ハイブリッド免疫は、BA・5の感染を五七・一～八一・八％予防していた。特にオミクロン株BA・1またはB

A・2に感染したことのあるワクチン接種者で、BA・5の感染予防効果が高かった。

イギリスでは高いワクチン接種率を達成した後、オミクロン株に感染した人が急激に増えた結果、たくまずして国民の多くがハイブリッド免疫を獲得した。BA・5の感染者が比較的低い水準に抑えられているのは、このためと考えられている。もちろん、ここに至るまでには多くの死亡者や医療の逼迫という犠牲を払ってきたことは忘れるべきではない。つまり、ハイブリッド免疫が最強であるとしても、重症化や死亡のリスクを考えると、「だからどんどん感染しよう」とはならないのだ。

ハイブリッド免疫のメカニズム

それでは、ハイブリッド免疫はどのようなメカニズムで成立するのだろうか。科学総合ジャーナルのNatureの記事では、以下のように説明されている。[16]
感染後やワクチン接種後に作られる抗体は、形質細胞と呼ばれる活性化したB細胞によって産生される。形質細胞は短命であり、死滅すると抗体レベルは低下する。その後の抗体は、感染やワクチン接種によって誘導される、メモリーB細胞から供給されるが、その数は形質細胞に比べてずっと少ない。
ロックフェラー大学の免疫学者ミシェル・ヌセンツヴァイクによれば、寿命の長いメモリーB細胞の中には形質細胞よりも強力な抗体を作るものがあるという。これはメモリーB細胞が、リンパ節で成熟するうちに、抗体のスパイクタンパク質への結合能を高めるような変異を獲得するためとされている。新型コロナに感染して回復した人が再び同ウイルスのスパイクタンパク質にさらされると、これらのメモリーB細胞が増殖し、強力な抗体を大量に産生する。ハイブリッド免疫の強力な反応の背景には、感染によって誘導されるメモリーB細胞とワクチン接種によって誘導されるメモリーB細胞の違いや、それらが作る抗体の違いも関係している可能性があると指摘されている。

こうしたハイブリッド免疫の仕組みを理解されれば、それを安全に模倣する手法が開発される可能性はある。先述したB細胞以外にも、T細胞の応答も感染とワクチン接種で異なる可能性がある。また自然感染では、スパイクタンパク質以外のウイルスタンパク質に対する応答も誘発されるが、こうした自然感染に特有の要因が関係するのかもしれない。

以上のことを踏まえたうえで、現在の日本で感染者数が多いわりに重症化率や死亡率が比較的低いとすれば、それは三回目、四回目のワクチン接種が進んだことによるのかもしれない。行動制限などの規制は緩和されつつあるからこそ、重症化リスクの高い高齢者や基礎疾患のある人の感染対策をしっかり進め、感染した場合にも速やかに診断・治療が行える体制を整備するべきであろう。

おわりに

この「定点観測」シリーズは今回でいったん終わりとなるが、現時点での日本のコロナ対策を振り返り、得られた教訓と今後の課題について考えておきたい。

結果論ではあるが、日本のコロナ対策は一定の評価に値するところもある、と筆者は考えている。そう考える理由はひとえに、超過死亡率の低さゆえである。超高齢化社会であるにもかかわらず、高齢者の死亡率が相対的に低かったことは先述の通りである。

その理由として最大のものは、コロナワクチン接種率と考えられる。コロナワクチンの導入は、初動こそ遅かったものの、導入以降は接種率が急速に上がった。ワクチンの普及はパンデミック対策において最大の鍵を握っている。近い将来、再び未知の感染症によるパンデミックが起きた場合の対策も、ワクチン以前／以後に分けて考えるべきであろう。

「ワクチン以前」における日本独自のクラスター対策や、マスクと手洗いの徹底、標語としての「三密回避」などにはそれなりに評価すべき点もあった。緊急事態宣言やまん延防止等重点措置も一定の効果はあったと考える。問題は、初動の鈍さに加え、どの先進国でも採用された対策、すなわちPCR検査と感染者の隔離、およびロックダウン（都市封鎖・外出禁止）のいずれも徹底できなかった点である。[17]

ちなみにコロナ対策で国際的に高く評価されている国はニュージーランド、台湾、ベトナム、韓国、オーストラリアなどであるが、いずれもSARS（重症急性呼吸器症候群）の流行に学び、パンデミックの初期から素早く対応し、移動の制限や隔離政策も適宜実施していた。

日本における第一波の原因として中国・ヨーロッパからのウイルス流入が、第二波の原因として「Go To トラベル」の影響が示唆されているが、日本は水際対策も不十分だった。多くの国と地域では出入国におけるPCR検査の実施と二週間の強制的な隔離（指定されたホテルでの隔離）が義務付けられたが、日本では日本人および外国人入国者に対して国内の移動に公共交通機関を使わないことと自己隔離（二週間自宅およびホテルに）を要請したにとどまった。[17]

検査体制にも多くの不備があった。すでに述べた理由により、筆者はやみくもな全数検査には賛成できないが、日本のＰＣＲ検査体制は到底十分なものとはいえなかった。こうして振り返ると、ワクチン以前、コロナ禍の初期に、日本で感染爆発が起こらなかったのは、僥倖《ぎょうこう》としか言いようがない。検査、隔離、ロックダウンのあり方については、疫学的な検証を経た上で、同様の愚を繰り返さないための対策が検討されるべきであろう。

日本独自の接触通知アプリＣＯＣＯＡは、二〇二〇年六月の提供開始の直後から不具合が相次ぎ、二〇二二年九月にはサービスを停止している。医療機関向けには「新型コロナウイルス感染者等情報把握・管理支援システム（ＨＥＲ－ＳＹＳ）」が導入されたが、入力は煩雑すぎるなどの問題があり、十分に活用されたとは言えない。いずれも投入された巨額の費用（開発費はＣＯＣＯＡが三・八億円、ＨＥＲ－ＳＹＳが約一〇億円）を考えるなら、費用対効果はお世辞にも良いとは言えなかった。これは日本に限った話ではないが、ＩＴの活用においては今後に懸念を残す結果となった。次のパンデミックを見据えるなら、接触通知アプリや感染者情報の共有システムなどは、平時からの開発と普及を進めておくべきであろう。

日本のワクチン導入における反省点は、初期の遅れである。理由として（１）国内ワクチンの開発の遅れ、（２）ワクチン承認の遅れ、（３）ワクチン接種体制の準備の遅れなどに加え、社会全体のワクチン忌避ムードも無視できない。しかし二〇二一年四月以降、菅政権が強い使命感を持ってワクチン接種を強力に推進し、いまや日本のワクチン接種率は世界トップクラスである。現在の感染者数の多さがパニックをもたらしていないとすれば、ワクチンの普及によって重症化率を低く抑えられているためであろう。

日本政府は、今後の感染症のまん延に備え、基礎研究などを行う「国立感染症研究所」と臨床医療を行う「国立国際医療研究センター」を統合し、アメリカのCDC＝疾病予防管理センターの日本版である「国立健康危機管理研究機構」の設置を目指している。[18] 同機構は感染症に対する全国的な検査体制を確保し、調査・研究・技術開発とともに総合的な医療の提供や人材の養成などを業務とし、設置時期は二〇二五年度以降としている。

この構想自体は評価したいが、出先機関として各地の保健所が位置づけられるであろうことは想像に難くない。パンデミックに先立って保健所数を削減し続けた結果、コロナ禍において保健所の業務が逼迫して機能不全に陥り、職員の疲弊も甚だしかったことは反省点の一つである。本来、保健所の設置が結核対策のためであったことを想起するなら、パンデミック対策の最前線として、保健所数の増加と人員の拡充など、保健所機能の強化を強く期待したい。

（二〇二三年一月二九日）

注

1　ＮＨＫ特設サイト　新型コロナウイルス「国内の感染者数・死者数」
https://www3.nhk.or.jp/news/special/coronavirus/data-all/

2　「大手旅行43社の総取扱額、国内旅行はコロナ前に回復、海外は7割減で個人旅行化すすむ」（トラベルボイス、二〇二三年一月一六日）
https://www.travelvoice.jp/20230116-152767

3　Coronaboard「新型コロナ（ＣＯＶＩＤ－19）リアルタイム情報」
https://coronaboard.kr/ja/

4　「新型コロナウイルス感染症に係る世界の状況報告（更新96）」（厚生労働省検疫所ＦＯＲＴＨ、二〇二三年一月四日）
https://www.forth.go.jp/topics/20230108_00001.html

5　札幌医科大学医学部 附属フロンティア医学研究所 ゲノム医科学部門作成「人口あたりの新型コロナウイルス死者数の推移【世界・国別】」
https://web.sapmed.ac.jp/canmol/coronavirus/death.html?s=y#date

6　Mitsuyoshi Urashima, Emiri Tanaka1,Hiroto Ishihara1,Taisuke Akutsu:Association Between Life Expectancy at Age 60 Years Before the COVID-19 Pandemic and Excess Mortality During the Pandemic in Aging Countries.JAMA Netw Open. 5（10), 2022. doi:10.1001/jamanetworkopen.2022.37528

7　忽那賢志「日本、中国など海外の新型コロナウイルス変異株の状況は？アメリカで急激に広がるＸＢＢ・１・５の特徴は？」（Ｙａｈｏｏ！ニュース、二〇二三年一月八日）
https://news.yahoo.co.jp/byline/kutsunasatoshi/20230108-00331819

8　千葉雄登「北米中心に広がるＸＢＢ・１・５、『中和抗体、ほぼ効果発揮せず』」（m3.com 医療維新、二〇二三年一月一六日）
https://www.m3.com/news/open/iryoishin/1109510

9　「同時感染『フルロナ』へ備えを…重症化リスク懸念、死亡率はコロナ単一の２・３５倍か」（読売新聞オンライン、二〇二二年一〇月二六日配信）
https://www.yomiuri.co.jp/medical/20221026-OYT1T50198/

10　ＮＨＫ特設サイト　新型コロナウイルス「日本国内のワクチン接種状況」
https://www3.nhk.or.jp/news/special/coronavirus/vaccine/progress/

11　ＮＨＫ特設サイト　新型コロナウイルス「世界のワクチン接種状況」
https://www3.nhk.or.jp/news/special/coronavirus/vaccine/world_progress/

12　倉原優「新型コロナワクチンは世界でどのくらい死亡を防いだ？　接種率が低いと死亡者数は増える」（Ｙａｈｏｏ！ニュース、二〇二二年一一月二二日）
https://news.yahoo.co.jp/byline/kuraharayu/20221122-00324829

13　Bilinski A, et al. :COVID-19 and Excess All-Cause Mortality in the US and 20 Comparison Countries,JAMA, 329（1):92-94.2022　doi:10.1001/jama.2022.21795

14　Watson O, et al.：Global impact of the first year of COVID-19 vaccination: a mathematical modelling study Lancet Infect Dis. 2022 Sep;22（9）:1293-1302.2022 doi.org/10.1016/S1473-3099（22）00320-6

15　忽那賢志「マスクを着けている人が多い日本の新型コロナ感染者数が世界最多なのはなぜ?・その２ハイブリッド免疫とは」（Ｙａｈｏｏ！ニュース、二〇二二年八月二一日）
https://news.yahoo.co.jp/byline/kutsunasatoshi/20220821-00310623

16　Ewen Callaway:COVID super-immunity: one of the pandemic's great puzzles. Nature,598（7881）:393-394,2021 doi: 10.1038/d41586-021-02795-x.

17　櫻井義秀「日本の新型コロナウイルス感染症への対応と顕在化した社会問題」（「21世紀東アジア社会学」11号、二二－三九頁、二〇二一年
https://www.jstage.jst.go.jp/article/easoc/2021/11/2021_22/_pdf

18　「日本版ＣＤＣ 名称は『国立健康危機管理研究機構』に 法案提出へ」（ＮＨＫ ＮＥＷＳ ＷＥＢ、二〇二三年一月二三日）
https://www3.nhk.or.jp/news/html/20230123/k10013958271000.html

［貧困］

貧困の現場から見えてきたもの　6

雨宮処凛

雨宮処凛（アマミヤ・カリン）

一九七五年、北海道生まれ。作家・活動家。フリーターなどを経て、二〇〇〇年に自伝的エッセイ『生き地獄天国』（ちくま文庫）でデビュー。〇六年からは貧困問題に取り組み、『生きさせろ！ 難民化する若者たち』（ちくま文庫）はJCJ賞（日本ジャーナリスト会議賞）を受賞。著書に『「女子」という呪い』（集英社クリエイティブ）、『非正規・単身・アラフォー女性』（光文社新書）、『ロスジェネのすべて　格差、貧困「戦争論」』（あけび書房）、対談集『この国の不寛容の果てに　相模原事件と私たちの時代』（大月書店）、『相模原事件裁判傍聴記　「役に立ちたい」と「障害者ヘイト」のあいだ』（太田出版）、『コロナ禍、貧困の記録——2020年、この国の底が抜けた』（かもがわ出版）、『祝祭の陰で　2020-2021 コロナ禍と五輪の列島を歩く』（岩波書店）、『学校では教えてくれない生活保護』（河出書房新社）など多数。

新型コロナ陽性になる

三年に渡り定点観測を続けてきた本書も第六弾となるわけだが、「第八波」と言われ始めた二〇二二年一一月末、初めて新型コロナウイルス（以下、新型コロナ）に感染した。

最初は喉の違和感だった。それが確かな痛みに変わっていく頃、微熱が出始めた。慌てて検査に行くと、「陽性」の知らせ。最初の三日間は三九度近くの高熱が続き、一週間ほど寝込むことになった。

手元にあるのは、病院で処方された五日分の解熱鎮痛薬のみ。ちなみに私は喘息がある身。すでに陽性になった友人たちから「肩で息をするほど苦しくてベッドの上で遺書を書いた」などの体験談を聞いていたためビビっていたのだが、急激に進む病状は、私に恐怖を感じる隙すら与えなかった。

結果的には軽症で済んだものの、堪え難かったのは喉の痛みだ。もう、唾を飲み込むだけで飛び上がりたいほどに痛い。

熱が下がっても痛みは続き、ある日、ふと鏡を見て驚愕した。自分の顔が二倍くらいに膨れているのだ。寝すぎて顔がむくんでいることを差し引いてもパンパンすぎる。しかも、なぜか野球のホームベースのような形になっている。

じっくり見て、気づいた。耳の後ろのリンパがバンバンに腫れていて、顔の形を大幅に変えているのだ。

「ほほう、こんなことになるのか……」

しばし、初めて目にする自分の容貌に見入った。道理で喉が痛いわけだ。感染初期から耳の後ろがツンと痛む理由が初めてわかった瞬間だった。それにしても、人間の耳の後ろがこれほど腫れるなんて。なんだか「一人・人体の不思議展」のようで誰かに見せたいと強く思ったが、すっぴんで一週間近く風呂に入っていない自分の写真を撮る勇気がどうしても出なかったのだった。

愛猫が体調不良に

そんな隔離期間中、一度だけ「危機」が訪れた。一八歳になる猫のぱぴちゃんが体調を崩してしまったのだ。

猫の一八歳と言えば、人間だと九〇歳近く。そんなおばあちゃん猫のぱぴちゃんは低カリウム血症と心臓の持病があり、月に何度も点滴をしているのだが、よりによってこのタイミングで症状を悪化させてしまったのだ。具体的には足腰に力が入らず歩けもしないし食べられないという状態。

こうなると、動物病院で点滴をしないとどうにもならない。しかし、私は新型コロナ陽性で自宅から出られない身の上に一人暮らし。この時点で熱で朦朧《もうろう》としながら「詰んだ……」と呟いた。隔離が開けるまで待つとなると、ぱぴちゃんは相当弱ってしまうだろう。場合によっては命を落としてしまうかもしれない。しかし、私は外に出られない。

「ぱぴちゃんが死んじゃう！」。取り乱して友人に相談すると、感染対策をバッチリした上で動物病院に連れていってくれるというではないか。しかもその友人は獣医で、ぱぴちゃんのかかりつけ病院の獣医さんとは親しい仲。事情を話したところ、快く受け入れてくれたのだ。

そうしてぱぴちゃんは点滴を受け、元気を取り戻した。というか、私の隔離があけるまで、なんとかもってくれた。

このような経験から、思った。私は友人がいたからよかったものの、もし頼れる人がいなかったら、と。この三年、このような形で失われてしまった小さな命もあるのではないか。やっと起き上がれるようになった時、自宅でペットが死んでいた——そんな悲劇が世界中で起きていたのではないか。

ペットだけの話ではない。親が陽性になった子ども、介護する側が陽性になりケアを受けられなくなったお年寄りだってたくさんいるだろう。そんな状態で頼れる先がなかったというケースだってあっただろう。現時点で、そのような不測の事態に備える仕組みが整備されているとは言い難い。「共倒れ」をあらかじめ回避できるシステムができたら、どれほどみんな安心できるだろう。

そうして新型コロナから生還したわけだが、一カ月ほど咳が続いた以外の後遺症はなし。が、治って一週間ほどはお酒が異常にまずく感じた。ビールは水っぽく、ワインは薬用アルコールのような匂いが鼻をつく。しかも少し飲んだだけで頭痛が始まる。このままお酒が飲めなくなったら、何を楽しみに生きればいいのか——。

途方に暮れたものの、頑張って飲んでいると(飲まないという選択肢はない)一週間を過ぎた頃から味覚は元に戻ってきた。今は心おきなく飲酒を楽しんでいる。

凄まじい感染の拡がり

さて、このような形で私も「新型コロナ経験者」となったわけだが、コロナ禍三年目となる二〇二二年下半期は、これまでを凌駕する勢いでウイルスが猛威を振るった半年間だった。

何しろ二二年夏・第七波の感染者は、これまでと桁違いの数だった。八月には全国の新規感染者が二〇万人を超える日が続き、八月一〇日には二五万人を超えて過去最多。WHO（世界保健機関）は九月四日の時点で、日本の感染者数が七週連続で世界最多になったと発表（共同通信、二〇二〇年九月八日付）。自宅療養者は最大で154万人。周りでも、参議院選挙中の七月頃から感染が広がったかと思ったら、あっという間に友人知人たちが陽性となり寝込んだ。

二二年八月、夏の真っ盛りだというのに、私はほとんど誰にも会わずに過ごした記憶しかない。それほどに、感染の威力は凄まじかった。

そんな第七波の九月、私も所属する「新型コロナ災害緊急アクション」（困窮者への駆けつけ支援をしている団体。「反貧困ネットワーク」が呼びかけて二〇年三月に結成）に一通のSOSメールが入った。所持金は八〇円、すでに住まいを失い野宿で携帯も止まっているという女性からのものだ。支援者が「反貧困ネットワーク」の事務所で相談を受ける旨を伝え、女性は無事に来てくれたのだが、入り口で体温を図ると高熱。慌てて病院で検査したところ、やはり陽性。支援者たちの手配でその日からホテルで療養することになったのだが、もし、支援者らに出会えていなかったら。

東京の片隅で、新型コロナ陽性の女性が所持金も住む場所も食料もなく、そのまま放置されていたかもしれないのだ。

いや、実際には、この女性が特別幸運だっただけで、そんなケースはいくらでもあっただろう。中には路上で命を落とした人もいるかもしれない。ちなみに女性は回復後、支援者に同行してもらい生活保護申請。生活再建は順調に進んでいるようである。

食料配布に並ぶ人々の数が過去最多に

さて、第七波が落ち着き始めた秋頃から目立つようになったのが、「物価高」に苦しむ声だ。

「物価高騰で毎月食費が大変で、カップ麺などしかとれていなくて体調が常に悪い」

「新型コロナ災害緊急アクション」には、食料支援を求めるメールがちらほら入るようになった。

また、一〇月二二日に開催された「コロナ災害を乗り越える　いのちとくらしを守る　なんでも電話相談会」（弁護士らが全国で無料で相談を受けつける。隔月で開催）にも、物価高騰への悲鳴のような声が多数、寄せられた。

「八〇代男性。夫婦で年金生活。物価高、医療費負担増で生活が苦しい」

「七〇代女性。年金六万円。光熱水費が高くて生活できない」

「五〇代男性。単身。死にたい。睡眠薬を飲んで寒い公園で死ぬことを考える。新型コロナでタクシー運転手の収入が半減し、今は一七万しかなく、一〇万の住宅ローンを支払うと生活が厳しい。物価も高騰し、一日一食で、毎月豆腐とうどんしか食べていない」

「八〇代男性。前立腺癌。年金生活。週に一回だけ買い物をしている。自分で食べたいものも買えない。電気代もずっと上がっている。自殺するしかないという気持ち」

「六〇代女性。収入が減り万引きして捕まった」

「年金も下がる一方で物価高騰が進むし、国葬する費用があるなら庶民にまずお金を回してほしい」

総務省の消費者物価指数によると、二二年一〇月の物価（生鮮食品のぞく）は前年同月比で三・六％上昇。これは一九八二年以来、四〇年ぶりの上昇率だという。食品だけでなく、電気・ガス代も上がっている。

東京新聞（二〇二二年一二月六日付）によると、物価高の影響で二二年の家計支出は前年比で九万六〇〇〇円増えており、二三年度はさらに四万円増えるという。

コロナ禍による失業や減収で二年以上かけてじわじわと追い詰められる中、庶民の生活を直撃した物価高騰。

そんな状況を受け、都内の食品配布に並ぶ人の数はここに来て過去最多を更新した。

「もやい」と「新宿ごはんプラス」が毎週土曜日に新宿都庁前で開催している食品配布には、九月一七日に五八四人が並び過去最多を更新。と思ったら、その記録は一一月二六日の六四四人という数が打ち破った。

ちなみにこの食品配布、新型コロナ以前からおこなわれているのだが、当時並んでいたのは八〇人ほどで、ほとんどが近隣で野宿する中高年男性だった。そのような場に、今、住まいはあるものの「一食分でも節約したい」という人々が並ぶ。中には子連れの母親や若いカップル、女性もいる。

頼みの綱のホテル利用が制限される

そんなふうに困窮する人々の裾野が広がり続けていた一〇月、厚生労働省からある通知が出た。それはホテル利用に関する事務連絡。

コロナ禍では、多くの人が家賃滞納でアパートや寮から追い出されるなどして住まいを失った。私もそんな人たちの生活保護申請にこの三年間、数多く同行してきたのだが、このような状態で生活保護申請をするとどうなるか。

新型コロナ以前であれば、「無料低額宿泊所」に入れられることが多かった。相部屋で、生活保護費のほとんどを取り上げられてしまうような劣悪なところも多いことで有名な施設だ。多くの人が逃げ出し、路上に戻る人が後を絶たないのだが、一度このような経験をすると「生活保護を受けるとまたあの施設に入れられる」と強い忌避感を持つことになってしまう。

それがコロナ禍で一変した。東京では、住まいがない人が生活保護申請した場合、一カ月ほどビジネスホテルに泊まることができるようになったのだ。その間にアパートを探し、転宅するという流れである。このようにして路上やネットカフェ生活からアパート暮らしに移った人がコロナ禍、多く生まれた。住まいがあれば、住民票も取れて仕事の幅もぐっと広がる。こうして、多くの人がピンチをチャンスに変えるようにして生活再建をしたのだ。

しかし、一〇月に厚労省から出た事務連絡は、そのホテル利用を一一月から著しく制限するような内容だった。これによって再び無料低額宿泊所に入れられる人が増えてしまったのだ。その背景には、「全国旅行支援」によってホテルが埋まり、値段が高騰していることもあるようだ。

住まいのない人の唯一の命綱のような場を奪い、余裕がある人の旅行は支援する。これほど格差社会を象徴するグロテスクな光景はないだろう。

この件については一二月二日、困窮者支援団体らが東京都に要請（私も参加予定だったが新型コロナ陽性で行けなかった）。

ライフラインさえも支援しない行政

もうひとつ、同日に都に要請されたことがある。それは、東京都では水道料金の滞納による給水停止が昨年より倍増している件について。日本共産党の和泉なおみ都議の質問によって明らかになったのだが、二〇二一年の給水停止が一〇万五〇〇〇件だったのに対して、二二年の四〜九月だけで九万件にものぼっているのだという。

その背景には、検針員が水道料金を払えない人のもとに訪問して催告をおこない、困窮者は福祉につなげる委託事業を「業務の効率化」を理由にやめたこともあるという。そうして現在、郵送による催告となったことが給水停止の倍増という事態を招いているというのだ。

その話を知って、一一月、駆けつけ支援をした人のことを思い出した。「新型コロナ災害緊急アクション」に、住まいも失い、残金もほぼゼロ円とSOSメールをくれた女性のもとに駆けつけたのだが、彼女が住まいを失ったきっかけは水道の停止だった。コロナ禍はじめに宣伝された、水光熱費の支払い猶予の措置を覚えている人も多いだろう。多くの人が「助かった」と口をそろえる制度だが、減免措置が終わったとしても困窮している人の状況は変わらない。やむを得ず料金を払えずにいたところ、水道を止められてしまったのだという。

水道の停止は、命に関わることである。住まいを失うきっかけにもなる。それが昨年と比較して倍増している事実を、どれほどの人が知っているだろうか。

ちなみに滞納ということで言えば、ドイツの場合、家賃を滞納すると大家さんが行政に連絡するのだという。そうして役所の人が訪れて、家賃を滞納した人が福祉に繋がれるようにするそうだ。

翻って日本の場合、黙って追い出されるだけだ。水道だって黙って止められる。家賃滞納やライフラインの停止は絶好の「困窮を発見するチャンス」にも関わらず、「個人情報の壁」という言い訳で、発見できたはずの困窮は放置されてきたし、今も放置されている。

そんな状況を思うたびに、「国には、本気で命を守ろうという気概があるのだろうか」と疑問を抱いてきたのだが、年の瀬も迫った一二月、岸田政権がトンデモないことをブチ上げた。

今後五年間の防衛費を一・五倍超にするというのだ。その額、四三兆円。社会保障費などについては常に「財源がない」ことを理由に削減してきた政権だが、なぜか防衛費に関しては財源論はスルー。これには大きな反対の声が上がったが、「聞く力」を掲げる岸田首相はまったく聞く耳を持たず、といった状況である。

泊まれる場所も返済する金もない

そうして迎えた二〇二二年末は、三年ぶりとなる「行動制限のない年末年始」となったのだが、公的支援はまたしても後退していた。

たとえばコロナ禍一回目と二回目の年末年始、東京都は、住まいがない人のために年明けまでホテルを無料で提供した。年末年始に路上で過ごさざるを得なかった人たちが、暖かいホテルの部屋で新年を迎えられたのだ。そうして年始、何割かは仕事始めと同時に仕事に戻り、何割かは役所に生活保護を申請をした。このような形で、年末年始のホテル利用というワンクッションは確実に多くの人の生活再建を手助けしてきた。

しかし、今回、そのようなホテル提供はなかった。都内のホテルは旅行者たちで埋まり、どこも満室。役所の窓口が閉まる年末年始、住まいのない人々は放置される形となった。

このような公的支援の後退を埋めるため、困窮者支援団体は年末年始もフル稼働した。私自身も様々な相談会や炊き出しに参加した。一二月三〇日は反貧困ネットワーク主催の「移動相談会」で相談員をし、三一日は渋谷の越年と池袋の炊き出しに参加。二〇二三年一月二日には横浜・寿町の炊き出しを手伝い、三日には再び移動相談会の相談員をつとめた。

大晦日に野宿になった、公園で寝ていて衣類を盗まれた、とにかく家族五人分の食料がほしい――。みんなが普段より贅沢を楽しむお正月、空腹と寒さに震え、炊き出しや相談会に来る人々。寿町では五六八食の雑炊があっという間になくなり、池袋の炊き出しには年末年始の三日間で約一二〇〇人が訪れた。

そうして二〇二三年が明けたわけだが、一月からはある制度を利用した困窮者にとって一層厳しい状況が訪れる。

それは国の特例貸付。この返済が一月から始まったのだ。コロナ禍で多くの人が利用した特例貸付は緊急小口資金や総合支援資金という名前。最大で二〇〇万円が貸し付けられたのだが、その返済が始まってしまったのだ。

この制度には、「貧しい人に借金させるのか」「コロナ禍での国のメインの困窮者支援策が給付ではなく貸付とは何事か」と批判も多かったのだが、貸付総数は約三三五万件で総額は一兆四二六八億円。住民税非課税世帯などは返済が免除されるが、すでに二二年一〇月の時点で免除申請は、貸付を受けた人の三割以上にのぼっている。また、自己破産も七五〇〇件以上確認されている。返済免除の対象はもっともっと拡大されるべきだろう。

そして私は途方に暮れる

そんなコロナ禍三年目で感じているのは、三年も続く「野戦病院」状態の中、支援者たちも息切れしつつあるということだ。

三度目の年末年始、コロナ禍一回目と二回目の年末年始に開かれた「大人食堂」（食品配布と生活相談、医療相談など）は開催されず、またやはり前回、前々回の年末年始に開催された「コロナ被害相談村」（新宿・大久保公園で開催された野外相談会）も開催されなかった。だいたい二年連続、それぞれ定職を持つ人々が正月休み返上でボランティアをしていたこと自体が奇跡なのだ。

「コロナ災害を乗り越える　いのちとくらしを守る　なんでも電話相談会」も二〇二二年一二月一七日をもって最後となった。よく三年近くも、隔月で全国の弁護士や司法書士、支援者らがボランティアで相談を受けてきたとつくづく思う。しかも電話相談をするたびに毎回四〇～五〇万円の経費がかかってきたのだ。

このように、一区切りがついた活動もあれば、とても終わらせることはできない活動もある。三年間、連日のように支援者が駆けつけ支援に明け暮れている「新型コロナ災害緊急アクション」もそのひとつだ。

ちなみに「新型コロナ災害緊急アクション」がこの三年間で受けてきたSOSメールは約二〇〇〇件。

駆けつけ支援に忙殺されている「反貧困ネットワーク」事務局長の瀬戸大作氏によると、SOSをしてくる人の所持金は「一〇〇円以下」が一九・四％。携帯が止まっている割合は四〇・三％。七割ほどが住まいも失っている。もはや自力ではどうにもできない状態だ。また、連絡してくる中には女性も二割ほどいる。六割以上が一〇～三〇代。

そのような人々のもとに駆けつけると、住まいのない場合はまず安いホテルを取り、身体を休めてもらう。緊急生活費として食費も渡す。そうして後日、生活保護申請などに同行するという流れである。

活動の原資は二〇年三月に立ち上げた「緊急ささえあい基金」。これまで約一億七〇〇〇万円が集まっているのだが、三年近くでのべ約三四〇〇人に対応し、九〇〇〇万円以上を給付してきた。とても民間の団体が給付するような額ではない。

というか、本来であれば公助がやるべきことなのだ。しかし、あまりにも支援が遅く乏しいので、これまで民間が身銭を切るような形で自身の生活を犠牲にして活動してきた。

が、こんなことは当たり前だが続かない。

国はそろそろ、公助に本気を出してほしい。そうでなきゃ、多くの命が失われてしまう。

だけど、「防衛増税」とか言ってる人たちになんと言えば通じるのか、それを思うと、途方に暮れる気持ちだ。

（二〇二三年一月八日）

〔生活保護〕

賃労働と家族からの自由を求めて

——若者たちの新しい生存戦略——

今岡直之

今岡直之（イマオカ・ナオユキ）

一九八八年、鳥取県生まれ。社会福祉士。一橋大学大学院社会学研究科修士課程修了。二〇一二年よりＮＰＯ法人ＰＯＳＳＥの生活相談を担当し、現在まで三〇〇〇件以上の相談に対応。

1　はじめに

今年（二〇二三年）一月に厚労省が発表したところによると、昨年一〇月の生活保護申請件数が前年同月比で五・二％増加したという。前年を上回るのは六カ月連続だそうだ。新型コロナウイルス（以下、新型コロナ）の影響の長期化やインフレの影響はもちろん、コロナ禍で実施された各種生活支援策の期限切れも一つの要因だろう。

また、コロナ禍で貧困問題に関する報道が増え、実態が知られるようになったことも重要だ。スティグマが強く、利用が抑制されがちな生活保護の申請件数が増えている背景の一つではないだろうか。

ただし、報道のトーンは往々にして「かわいそうな」「悲惨な」貧困者の実態、というものである。私には、当事者が非常に「受動的な」存在として扱われているように思われてならない。

それに対して、私が所属するNPO法人POSSEの生活相談の現場では、そのような当事者像とは異なる「主体性」を持った人々がやってくる。そもそも、相談を寄せることそのものが主体的な行為である。なかでも、目立つのが一〇代〜三〇代の若者からの相談だ。今年度（二〇二二年四月〜）は昨年度の約三倍のペースと、大幅に増加している。

行為における主体性（エイジェンシー）について、イギリスの貧困研究者であるルース・リスター（二〇一一）は次のように述べている。

本章での行為における主体性の扱いは、福祉の理論化における最近の展開を反映して、個人主義的なアプローチと構造主義的なアプローチという二分法の超克を目指している。この「福祉の新たなパラダイム」の中心となっているのは、「人が創造的で物事を熟考してふたたび現実に反映するような人間存在である能力、すなわち積極的な行為者として自身の生活を形成し、経験し、福祉政策の結果にさまざまな影響を与え、これを再構成する能力」の強調である。そこでの分析枠組みは、主体的行為を「幅広い形態の階層化や社会的権力関係との関係のなかでの」個人の社会的地位という文脈に位置づける。

つまり、貧困の当事者は社会構造に規定されながらも、一定の主体性や能動性を持って生き抜いているのである。本稿ではこれを「生存戦略」と定義し、貧困層の若者がいかなる生存戦略を持って生き抜いているのか、具体的な事例をもとにして論じていく。

2 貧困を生き抜く若者たち

まず、コロナ禍でPOSSEの相談窓口に寄せられる典型的な事例をいくつか紹介しよう。

〈事例1〉

「あなたは奴隷だからね」

関東地方在住のAさん（一〇代女性）は、小学三年の頃から親からの暴力を受けて育った。

当時、母親が離婚とともに再婚し、継父がAさんと母親に身体的暴力を振るっていた。Aさんが暴力を振るわれていても、同居する母親、姉、祖母の誰もが見て見ぬふりをし、助けなかった。小学六年の時に再び離婚し、暴力が収まるかと思ったが、今度は母親が精神的虐待を行うようになった。「死ね」「消えろ」と毎日言われ、ある時には、「姉は操り人形だけど、あなたは奴隷だからね」と言われたこともある。

幼い時には虐待だという認識もなく、親の教育だと思っていた。しかし、高校生になって抑うつ状態になり、その原因を調べていくうちに親の影響だと考えるようになった。その時にちょうど虐待サバイバーのYouTuberの動画を見て、自分の経験は虐待だったのだと自覚した。

それから家出したいと思うようになったが、何とか高校は卒業しなければならないと思い、耐えた。学校でもいじめられた経験があり、家にも学校にも居場所がなかったので、個別指導塾の自習室が居場所だった。いのちの電話や児童相談所にも相談したが、「もう高校生なんだし、自分でやりなよ」などと言われ、頼ることはできなかった。

介護職場で雑用ばかり、「できないやつ」のレッテル

高校卒業後に就職が内定していたが、それを蹴って卒業とともに実家から逃げた。しかし、捜索願を出されるなどして一週間ほどで実家に連れ戻されてしまった。それから、母親と同じ介護の職場で働くことになった。母親が仕事は楽しそうにしていたので、やって

みたいと思っていたのもある。

母親の勧めで障害者雇用の枠で入ったが、介護はさせてもらえず、ベッドメイキングや清掃など雑用ばかりやらされ、嫌になって辞めたくなった。また、母親の影響で同僚の風当たりも厳しかった。そして、数ヶ月で別の介護職場に一般雇用で転職した。

そこでは最初周りは歓迎ムードだったが、一カ月経つと仕事を覚えきれていないことを非難されるようになり、「できないやつ」のレッテルを貼られているようだった。話しかけても無視され、指示を待っていると「動け」と言われ、動くと「邪魔」だと言われるので、どうしたらいいのかわからなくなった。ここもすぐに辞めた。

二つ目の職場を辞めてからは実家に引きこもり、ネットで仕事を探していたが、なかなかいい求人が見つからなかった。それに母親が痺れを切らして、「もっと探せ、介護ならいっぱいある」と言ってきたので、「介護はもうやりたくない」と言い返すと、「金を稼げるんだからいいじゃないか」と反論され、大喧嘩になった。この頃から「親と離れないと死ぬ」と感じ、再び実家から逃げた。今度は捜索願不受理届を出し、本当に親から離れることができた。

ネットゲーム仲間から生活保護につながる

実家から逃げる時には、ネットゲームで知り合った友人の助言があった。ゲーム参加者のグループ通話で、Aさんが一度実家を逃げようとして失敗したことをぼそっと言ったのを友人が拾ってくれて、そこから相談するようになった。グループ通話は週三回くらいでやっていて、たまに直接会ったりもした。学校ではしないような家族の話をそこではできた。グループ通話だと親からの暴言・暴力の音など他の人の家族の内情も入ってくるのだという。

もともと、実家を出た時に所持金は七万円程度で、ネットカフェ暮らしが難しくなったら友人の家に居候させてもらおうと思っていた。そこで友人が生活保護の利用を勧め、支援団体としてPOSSEを探してくれた。Aさんの知り合いで生活保護利用者がおり、受給額が少なく生活ができないのではないかと思っていた。しかし、POSSEのスタッフの詳しい説明を聞いて、何とか生活していけそうで、「生きていけるならいいかな」と思った。

他県の役所に行って、生活保護を申請した。その際、劣悪な環境であることも少なくない無料低額宿泊所への入所を求められたが、POSSEのスタッフのサポートもあり、ネットカフェからの申請で認められた。そこから約一カ月で自分のアパートを借りることができた。

〈事例2〉

実家でも生活保護を利用

都内在住のBさん（二〇代男性）は、三歳の時に両親が離婚してから母親と一緒に暮らしていた。そして、小学校高学年の頃に母親がうつ病になり、しばらく生活保護を受けていた。病気の母親の代わりに役所に行き、ケースワーカーとのやり取りもしていたという。ただ、Bさん自身も小さい頃から気分の浮き沈みが激しく、のちに医師からは双極性障害ではないかと言われている。気分が落ちている時には体調も悪く、学校に行けないこともあった。母親は怒る時に尋常ではなく怖かったり、ヒステリックだったといい、そうした環境要因もあるかもしれない。とはいえ、何とか定時制高校まで卒業することができた。

高校卒業後は職業訓練に通っていたが、自分の夢が変わって音楽を本気でやりたくなった。それからは職業訓練に通うのを辞めて、音楽をやりながらアルバイトをするようになった。接客が好きだったので、飲食店を中心にいろいろなアルバイトをしてきた。

新型コロナと体調不良でシフト削減、実家を追い出される

しかし、新型コロナが流行し始めた二〇二〇年初めから、体調不良でシフトに入れないことが続いた。熱が出ることもあり、新型コロナ感染を疑われることもあった。オーナーは優しい人だったが、シフトに入れない自分のことを「使えない」と思っているのではないかと考えてしまうようになった。しかも、当時は緊急事態宣言が発出され、客が激減して仕事自体がかなり減っていた。新型コロナの影響でシフトが削減された際には休業手当を受け取る権利があるが、この時には支給されていない。

仕事も収入もなくなってしまったことで、母親と揉めるようになった。「お金を稼ぐことができないなら、一緒に暮らすことはできない」などと言われた。そして、家にある物を使って暴れたりしたので、身の危険を感じて友人の家に逃げた。Bさんの収入が減って家計が崩れていくのが母親に強いストレスを与えていたのではないか、とBさんは言う。

友人の助けで生活保護に

居候させてくれた友人は中学生の頃にネットゲームで知り合い、直接会って遊ぶようになった人だという。当時、友人は近隣で生活保護を利用しており、生活保護を勧められた。すぐに窓口に行ってみたが、居候状態での申請は認められない、無料低額宿泊所に入らないと受けられない、と断られてしまった。無料低額宿泊所の場所は自分で選べず、不特定多数の見知らぬ人たちと数カ月も共同生活するのは耐えられないと思い、申請を断念した。すると、友人がPOSSEを探してくれた。電話で相談し、スタッフに窓口に同行してもらい、居候での申請が認められた。

しかし、その後はケースワーカーから「放置」され、一年近く居候状態が続いた。ワンルームに友人と二人で長期間生活し続けることもストレスとなり、また近隣から頻繁に騒音で警察に通報されるようになったりするなどして（本人の認識では静かに暮らしていた）、居候が辛くなってきた。そのため、ケースワーカーにアパート転宅の希望を伝えた。するとまた、「施設に入るしかない」と言ってきた。そこで再度ＰＯＳＳＥに相談し、施設入所は強制できないこと、嫌ならはっきり断ったほうがいいと助言され、ケースワーカーに伝えた。そして、ようやくアパート転宅が認められた。現在は精神疾患の治療をしつつ、音楽活動もおこなっている。

〈事例3〉

親の言いなり、ゴミ屋敷でプライバシーなし

関東地方在住のＣさん（二〇代男性）は、パソコンのリースの自営業を営む父親、食品開発会社に勤める母親、妹と四人家族だった。父親はＣさんに対して厳しく、叩かれたり、突き放すようなことを言われることが多かった。さらに、Ｃさんを思い通りに行動させたいという意識が強く、生まれる前から通う高校を決められていたり、入ろうとした部活を辞めさせられて父親の言う部活に変更させられたこともある。Ｃさんいわく、大学まで自分の意思で何かを決めたことがないという。

また、父親は家事をせず、母親は片付けができない人だったため、家の中がモノやゴミで溢れかえっていた。自分の部屋も椅子に座ることはできても寝るスペースがなかったの

で、家族全員が寝室に集まって川の字で寝ていた。プライバシーはまったくなかったが、物心がつく頃からこのような状態だったため、普通のことだと思っていた。友人から指摘されてようやく異常さに気付いたという。

職場での人間不信で適応障害

父親の言う通りの高校から県内の大学に進学し、大学時代の共同研究先だった東海地方の製造会社に正社員として就職した。一年目は現場で労働環境にも特に問題はなかったが、二年目に配属された設計の部署で教育担当になった先輩社員とうまくいかなかった。仕事に必要な情報を共有してくれず、そのせいでミスが起きると叱責された。そこで、同じ大学出身の先輩社員に悩みを相談したところ、教育担当に筒抜けになっていた。地元を出て人間関係もない中、信頼していた先輩に裏切られたのがショックで、人間不信が募っていった。

その後、現場に戻してもらったが、人間不信が収まらず、一年目に仲良くしていた社員ともギクシャクするようになり、どんどん疎遠になっていった。めまいや立ちくらみがするようになり、病院では適応障害と診断されたため、一年間休職した。職歴に傷がつかないようにと思い、傷病手当金が切れるタイミングで転職した。

転職先は地元にある同業他社で、危険物も扱うのでチームワークが大事な現場だった。しかし、人間不信がまだ強く、同僚とうまくコミュニケーションが取れないので馴染めなかった。たびたび欠勤するようになり、給料も減ってしまったため、家賃の支払いに困るようになり、カードローンを利用した。また、ストレスで金遣いが荒くなり、趣味嗜好に一日一〇万円を使うこともあったため、消費者金融からも借りるようになった。いま振り返ると、正常な精神状態ではなかったとCさんは言う。

二社目も辞めて実家に戻り、日雇いでつないだ。当時は東京五輪前後でイベント設営などの需要があり、月一〇万円程度稼いだ。これも長続きしないので困っていたところ、地元の友人から雇用保険を受給しながら職業訓練が受けられるとアドバイスを受け、利用した。しかし、こちらも人間不信で周りと軋轢が生じるようになり、体調も悪化したため、途中退校となった。

実家から追い出され、友人のアドバイスで生活保護へ

職業訓練に通えなくなり、また消費者金融からの借金を親に肩代わりしてもらっていた。すると、親から援助を打ち切られるとともに、家計を食い潰すから出ていけと言われた。実際、居住環境も悪く、親との関係もこじれてしまったので実家の居心地が悪く、出ていきたかった。だが、お金もないのでこのままだと路頭に迷ってしまう。そんな時、たまたまゲーム仲間だったAさんとグループ通話をしていた時に、実家を出て生活保護を受けながら生活をしていると聞き、POSSEも紹介してもらった。実家を出る前にPOSSEに相談し、出るタイミングを図って窓口にスタッフ同席のもと、生活保護を申請した。

3　賃労働と家族から脱出し、生活保護を受けて生きる

三つの事例を見ていくと、驚くほど共通点が多いのに気付かれるのではないだろうか。以下、①賃労働による親からの自立の困難、②実家に居続けられない、③生活保護の利用、の三点にわたって分析していく。

①賃労働による親からの自立の困難

AさんとBさんは高校卒業後に非正規雇用で働き、親から自立できるだけの賃金を得ていない。他方、Cさんは大学卒業後に正社員として就職しているが、そこでの労働環境を苦にして就労継続が困難となり、実家に戻っている。

戦後日本において、若者は〈学校から仕事へ〉の移行をスムーズに行うことができ、年功賃金と終身雇用が保障される日本型雇用に包摂されることで、結婚して家族を形成し、マイホームを取得するという標準的なライフコースを送っていた。しかし、現在ではこれが成り立たなくなっている。

ビッグイシュー基金（二〇一四）の調査によると、首都圏と関西圏に住む二〇歳～三九歳の未婚の年収二〇〇万円未満の若者において、親同居の割合は七七・四％に及ぶ。親同居の理由として最も多いのは、「住居費を自分で負担できない」が五三・七％である。他方で住居費負担のある者については、負担率が手取り月収の三〇％以上の者が五七・四％、五〇％以上の者が三〇・一％と異様に負担が重い。このように、賃労働による親からの自立の困難はかなり普

遍的な現象となってきていると言えよう。

その背景には、低賃金で不安定な非正規雇用が労働者全体の約四割まで増加していること、また正社員においても「ブラック企業」が広がり、過重労働やパワハラにより若者が短期間で使い潰されていることが挙げられよう。しかし、三つの事例を具体的に見ていくと、それだけでは十分に説明できない。

Aさんが初職で障害者雇用だった一つの理由は、小学生の頃に発達障害（ASD・ADHD）と診断され、障害者手帳を取得していたからだ。会社からは、障害を持っているから介護はできないだろうと決めつけられ、介護ではなく雑用をやらされたのかもしれない。また、二社目では仕事が覚えられないことでいじめられていたが、ADHDの不注意症状の現れである可能性もある。つまり、障害者に配慮し、包摂するような職場ではなかったという問題が考えられる。

さらに、発達障害は基本的に遺伝的要因が大きいとされているが、最近では虐待により小脳虫部がダメージを受け、発達障害の症状が現れるとも言われている。[1] 前述の通り、Aさんは幼少期から虐待を受け続けていたために、症状が出ていた可能性がある。つまり、虐待により脳が傷つき、労働するのに支障が出ていたのかもしれない。

Bさんも、幼少期からの気分の浮き沈みや体調の崩しやすさが大人になってからも続き、働き続けることができなくなってしまった。虐待による小脳虫部へのダメージは双極性障害の症状も引き起こすという。したがって、本人はさほど自覚がないが、こちらも生育環境の影響があるのではないだろうか。

Cさんの場合は、大学まではそれほど大きな問題は生じなかったようだが、初職での教育担当との関係で適応障害を発症した。適応障害は置かれた環境に対する不適応であるため、当時の職場を離れれば症状が治るはずが、二社目でも発症した。つまり、初職の職場環境のみでは説明がつかない。働く以前から何らかの素因があり、それが初職で引き出され、長期化していると見るべきだろう。子ども時代に虐待などでトラウマが生じると、大人になってからも対人関係に苦しむ社会的障害が生じるという研究もある。

以上より、彼らは子ども時代に家族からの虐待により傷つけられ、それが賃労働の継続を困難にしている可能性が示唆される。資本主義社会における家族は労働力の再生産を担うとされているが、実際には労働力を毀損するという逆の機能を果たしているという皮肉な現実がある。

さらに言えば、そうした傷つきを抱えた中で、無理をして働き続ける必要はないという主体的な判断が介在しているように思われる。確かに、非正規はもちろん、正社員であっても生活はギリギリであり、給料が上がるわけでもない。

それだけでなく、やりたくないことをやらされないこと（例えばAさんの初職）、自分を信頼して受容してくれる人間関係があること（例えばAさんの二社目、Cさんの初職）を求めているのではないか。こうしたものを犠牲にしてまで働く必要があるのか、と彼らは問いかけている。

資本主義社会においては、自らの労働力を販売し、市場での努力を通じて生活を自立すべきだという「労働による自立」が強い規範として通用しているが、彼らの中ではこの規範が揺らぎ、相対化されているように思われる。

②実家に居続けられない

①の帰結として、住居を自力で確保できないため、彼らは実家に住まざるを得ない。しかし、家族関係の悪さのために居続けることができない。しかも、いずれも子ども時代に行政による保護を受けたことはなく、Aさんに至っては行政に相談しても対応されなかった。

児童相談所（児相）での児童虐待相談対応件数は毎年増加を続けており、二〇二一年には二〇万七六五九件となっている。統計を開始した一九九〇年以来、三一年連続で最多を更新しており、件数は約二〇〇倍増加している。それでも、児相が対応しているのは氷山の一角に過ぎず、虐待を受けながらも親と同居し続けなければならない若者が少なくないのだ。しかも、一八歳を超えれば「児童」ではなくなるため、把握すらされなくなる。

コロナ禍における生活困窮の拡大や感染リスクによって、家族内にストレスがかかりやすくなり、外出自粛や在宅勤務、一斉休校などで家族が孤立し、かつ「密度」が高まったことでより一層DVや虐待が起こりやすくなっていると言えよう。

さらに、BさんとCさんのケースでは、家にお金を入れられなくなった途端に親から家を追い出されている。子どもは将来的にリターンが得られる可能性があるため、親は子どもを家に置いて育てる。だが、大人になり働ける年齢になると、家計の維持への貢献（リターン）が求められるようになる。にもかかわらず、仕事ができなくなってしまうとただ支出が増えるばかりで、親にとっては「負債」となってしまうのだ。そのため、親たちは自分の子どもを追い出したのだろう。

彼らにとって、出身家族は情緒的に結合した「親密圏」ではなくなっている。もはや、組織への経済的貢献なしには所属を認められない「会社」のようなものだ。だからこそ彼らは、殺伐とした、お金の関係でしかない家族を脱出し、友人たちとの新たな親密圏を求めているのではないだろうか。

③生活保護の利用

実家を追われ、ホームレスとなってしまった彼らは、みな生活保護に行き着いた。そうしなければ生きていけないという意味では、生活保護利用は強いられた選択ではある。しかし、彼らの特徴は、生活保護利用に忌避感がないということである。

そもそも、生活保護は一般市民からは忌避されている制度だ。その傍証として、受給基準を満たしている人のうち、実際に受給している人の割合である「捕捉率」は二割程度だと言われている。つまり、いくら生活に困っていても受けたくないという人が八割いるのである。[2]

前述の通り、資本主義社会においては「労働による自立」が求められる。もちろん、現実には失業や疾病などにより労働力を販売できない事態が生じるため、生活保護をはじめとする社会保障制度が整備されている。しかし、「労働による自立」が強く規範化されている社会においては、特に全額税金で賄われている生活保護の利用が恥ずべきもの（スティグマ）とされてしまう。一般市民からすれば、自分たちが働いて納めた税金でのうのうと暮らしている、というわけだ。

さらに、この間では、いわゆる「生活保護バッシング」によってスティグマが強化されてきた経緯がある。二〇一二年にお笑い芸人の母親が生活保護を受給していることに対し、自民党の片山さつき議員が「不正受給」だと断じたのが始まりである。その後、生活保護の不正受給報道が激増し、生活保護に対する「国民感情」を背景として生活保護基準の引き下げなどの制度改悪が行われた。生活保護を忌避する風潮には「生活保護バッシング」の影響が少なからずあるだろう。

このように社会全体に生活保護に対する強い忌避感が醸成されている中で、特に忌避感もなく生活保護を利用するというのは、新しい現象であるように思われる。確かに、忌避感の大きな要因となっていた二〇一二年の生活保護バッシングから一〇年近くが経った現在、若い世代にはその記憶はほとんどない。また、コロナ禍で貧困が一定可視化され、福祉を活用する機運がメディアや社会運動から不十分ながらも醸成された部分もあるかもしれない。

しかし、それ以上に根底的な変化が生じているように思われる。三つの事例を見ていくと、若者たちの「新たな下層社会」が生まれているのではないだろうか。三人ともネットゲームや学校の友人の勧めで生活保護の利用を考えるようになっており、友人たちの間でも生活保護を利用している人が少なくないのだ。生活保護が当たり前で普通とされる社会がそこにある。

こうした現象は、かつての「寄せ場」を想起させる。[3] 寄せ場とは、高度成長期に大阪の釜ヶ崎や東京の山谷などに形成された「全国各地の簡易宿所(ドヤ)街を軸にした居住地区を包括する概念」である。主に居住していたのは、港湾運動業に従事する単身の日雇労働者であった。

港湾運送業では、時期や天候による貨物の取引量の変動が大きく、人員の調整が容易な日雇労働者に依存していたためである。

さらに、国や自治体は、家族持ちの労働者には公営住宅を斡旋して流出させ、農村や炭鉱から単身男性の労働者の流入を促進することで、政策的に単身日雇労働者を集中させた。こうして貧困や「ホームレス問題」は一般市民からは不可視化されることになった。

ただし、「寄せ場」は「寄り場」でもあった。「寄せ場」は資本が労働者を寄せ集めるという側面を強調するのに対し、「寄り場」は労働者が寄り集まるという主体性を強調する呼び方である。「寄り場」では、労働者が路上や日々の社交性の中で職場の情報を交わし、劣悪な労働を回避していた。こうした社交性の中に、日雇労働者の日常的な抵抗の論理が内包されていたのである。

しかし、一九九〇年代には寄せ場における日雇労働市場が解体し、失業が顕在化したことでホームレスが寄せ場を超えて拡大した。さらに二〇〇〇年代には非正規雇用などのワーキングプアの増加により、貧困や不安定居住が普遍化する「社会の総寄せ場化」が起きたと言われている。ここでは、貧困者が点在するネットカフェなどにアトム化された形で分散し、「寄り場」としての側面を喪失したと言えよう。

それに対し、三つの事例に見る下層の若者たちのネットワークは、「寄り場」が新たに創造されつつある萌芽と言えるのではないだろうか。オンライン上やリアルの場で日常的な会話から、それぞれが生き抜くための情報交換が行われているのである。

4 「寄り場」としての社会運動

以上のように、賃労働による自立が困難となり、家族関係が悪化して実家に留まり続けることができず、ホームレス状態になって生活保護を申請する若者が続出している。こうした事態は、コロナ禍そのものが直接の原因ではないが、コロナ禍によって促進されたと思われる。感染リスク拡大は介護や飲食業などのサービス業の労働現場でのストレスを増加させたし、[4] 前述の通り、家族内でのＤＶや虐待が起こりやすくなっている。

　他方、この一連の流れを若者の主体性の観点から解釈し直す。すると、やりがいや良好な人間関係が望めない職場から撤退し、お金の関係になってしまった親との関係に見切りをつけ、福祉を利用しながら生活するという生存戦略を取っていることが見えてくる。

　とはいえ、今のところは個々人の生存戦略に過ぎず、また支援も個別的なものにとどまりがちである。若者がサバイブしなければならない社会のあり方を根本的に変革しなければ、心身を傷つけられた若者が絶えず生み出され続けるだろう。そのためには、未だ萌芽的である若者の「寄り場」を創造的に再生し、社会運動に転嫁していくことが重要だ。

　かつての「寄り場」は、数々の暴動[5]にも発展しながら、生存を要求する先鋭的な闘争を展開してきた。しかし、闘争が特殊化され、孤立させられてしまう中で、彼らの問題提起が日本社会全体に浸透したとは言い難い。

　それに対し、現代は貧困と不安定居住が普遍化する「社会の総寄せ場化」の時代であり、「寄り場」の問題提起が社会的な共感を集める素地がある。未だバラバラになっている貧困者が生存権を求めてオンライン／リアルに寄り集まることで、日本社会を変えるポテンシャルがあるのではないだろうか。

（二〇二三年一月三一日）

注

1 以下の虐待と脳への影響についての記述は、友田（二〇一九）を参照。

2 なお、生活保護に対する忌避感の詳細については、「POSSE」50号所収の拙著「生活保護はなぜ忌避されるのか　現代に生き残る劣等処遇」を参照いただきたい。

3 以下の記述は、原口の「地名なき寄せ場─都市再編とホームレス─」を参照。

4 人材サービス会社「エン・ジャパン」が二〇二一年に実施した調査では、「販売・サービス」「医療・福祉」系職種でコロナ対応によるストレスが増加しているという結果が出ている。
https://corp.en-japan.com/newsrelease/2021/26253.html

5 たとえば、釜ヶ崎の第一次暴動はひき逃げされた労働者を警察官が四〇分あまり放置したことをきっかけに起こった。日常的な警察の差別的処遇や劣悪な労働条件を押し付ける手配師、ヤクザへの怒りが背景にあった。

〈参考文献〉

ルース・リスター『貧困とは何か』（明石書店、二〇一一）
ビッグイシュー基金『若者の住宅問題』―住宅政策提案書　調査編―（二〇一四）
友田明美『親の脳を癒やせば子どもの脳は変わる』（ＮＨＫ出版新書、二〇一九）
坂倉昇平『大人のいじめ』（講談社現代新書、二〇二一）
原口剛「地名なき寄せ場―都市再編とホームレス―」（本田由紀ほか編『労働再審』、二〇一一）

［ジェンダー］

失敗から何を学ぶか？

上野千鶴子

上野千鶴子（ウエノ・チヅコ）

一九四八年生まれ。京都大学大学院社会学博士課程修了。東京大学社会学博士、平安女学院短期大学助教授、京都精華大学助教授、コロンビア大学客員教授、メキシコ大学院大学客員教授などを歴任。一九九三年に東京大学文学部助教授、九五年に東京大学大学院人文社会系研究科教授、二〇一二年―一七年に立命館大学特別招聘教授。現在、東京大学名誉教授、認定NPO法人「ウィメンズアクションネットワーク（WAN）」理事長。専門は、女性学、ジェンダー研究、ケア研究。著書に、『近代家族の成立と終焉』（岩波書店）、『上野千鶴子が文学を社会学する』（朝日新聞社）、『差異の政治学』（岩波書店）、『家族を容れるハコ 家族を超えるハコ』（平凡社）、『ケアの社会学』（太田出版）、『おひとりさまの老後』（法研）、『おひとりさまの最期』（朝日新聞出版）、『在宅ひとり死のススメ』（文春新書）、『女の子はどう生きるか』（岩波ジュニア新書）など多数。

はじめに

コロナ禍も三年目に突入した。昨年秋の第七波のあと、さらに第八波が続き、感染者数も減らず、母集団が大きいだけに死者数も減らない。東京都では医療が逼迫したと報道がある。この冬にインフルエンザが流行し、新型コロナウイルス（以下、新型コロナ）とインフルエンザ、ダブルパンチの「ツインデミック」が来ているという。感染者は人口の二割に達しているとか。ワクチン接種の普及のせいか軽症化が進んでいるというが、長く後遺症に苦しむひともいる。コロナを感染症法の五類から二類へ移行して、「ふつうのインフルエンザ」の一種にせよという議論が医療界からは聞かれるが、そうなれば感染者は潜行してコントロール不可能になるだろう。また医療費負担を怖れて受診しないひとたちが増えるだろう。わたしたちはすでに「在宅療養という名の放置」の現実を経験したばかりだ。日本の医療保険制度、高い医療水準、法律の「二類」指定はどこへ行ったのか？　パンデミックの前に日本の政治も官僚制も医療業界もこんなに無力だったのかという現実を突きつけられた。

前稿がカバーしたのは二〇二二年前半の六月末日まで。同年後半は七月八日奈良県西大寺駅前での安倍晋三元首相の襲撃事件から急転回した。銃禁止社会で起きた銃撃による政治家暗殺事件、それも手製の組みたて銃による個人的犯行、あっけにとられるほど手薄な要人警備、犯人の山上徹也が元自衛官で宗教二世の被害者、それも秋葉原無差別殺人事件や小田急ミソジニー殺人事件の犯人と同じく社会的に孤立した非正規労働経験者……さまざまな要素が入り交じって衝撃を与えた。参院選投票日を目前にした与党政治家の不慮の死とあって、同情と弔い合戦の機運で自民党が大勝するのではないか、という危機感が野党陣営に走った。結果は投票率は五二・一六％、昨秋の衆院選の五五・九三％に比べても低く、政権与党は大勝に至らなかったが、絶対安定多数を獲得した。これ以降、解散総選挙がないかぎり、次回の参院選までの三年間、国政選挙は実施されない。政権与党はフリーハンドの「黄金の三年間」を手に入れたと言われる。もちろん反対派のひとびとにとっては「悪夢の三年間」であろう。

岸田政権を信任したことになる参院選のあとの半年は、わたしにとってもまったくの悪夢だった。以下、ジェンダーにからめて四つの論点にそって論じよう。第一は統一教会と選択的夫婦別姓が突き当たる壁の闇の深さ、第二は政権がウクライナ危機に乗じてとつぜん打ち出した国防費の増額、第三は世代間対立を煽る史上最悪の介護保険改定への動き、第四が上記と関連する日本学術会議への露骨な介入である。

統一教会と選択的夫婦別姓

安倍元首相銃撃事件は、「パンドラの箱」の蓋を開けた。統一教会へのたび重なる献金によって家庭を壊されたと感じた犯人は、その元凶に元首相がいると信じて安倍氏を狙った。その判断は誤りではなかった。原理研究会から世界基督教統一神霊教会、さらに二〇一五年に世界平和統一家庭連合と改名したこの宗教団体が、政権与党の政治家にどれほど食い込んでいるかが次々に追及され暴露されるようになった。「身体検査」をすればほとんどすべての与党政治家がクロとなるほどであった。なかでも殺害された安倍氏の関与は並々でなく、二〇二一年にソウルで開催された統一教会系の大会にビデオメッセージを送っている。それを見れば山上容疑者が安倍氏を狙撃対象としたことにも、根拠があると言わなければならない。もし安倍氏が生存していたら、国会における野党の追及の矢面に立たされていたのは当の安部氏にほかならなかっただろうが、反対に安倍氏銃撃事件がなければその追及そのものが存在しなかったのだから、皮肉なものである。自民党による党員調査は本人の自主申告に委ねられ、元首相は物故者としてその対象からはずされた。文字通り「死人に口なし」である。元文部官僚の前川喜平氏の証言によって、二〇一五年の名称変更にも、政治誘導があることがほのめかされた。

多くの女性たちが愕然としたのは、選択的別姓を阻む壁が宗教右派の政治的影響力によるものだと赤裸々に示されたことである。選択的別姓に反対するどのような合理的な理由もない。「家族の価値を守れ」と唱える「夫婦同氏」派は、あいかわらず婚姻に当たって同氏をえらべばいいだけだし、別氏を強制されるわけではない。それどころか同氏の強制による不便や不自由を避けるために、やむをえず事実婚を続けている多くのカップルは、選択的別姓の導入によって法律婚に踏み切るだろう。すなわち選択的別姓は低迷する日本社会の婚姻率を上げ、ひいては出生率を上げることにも貢献しうる法制度であることは、専門家によっても予測されている。だが、統一教会問題が教えたのは、選択的別姓に対する抵抗は、合理的理由から行われているわけではなく、宗教右派の信念集合から行われており、その分だけ、さらに根が深く対抗するのが難しいという事実であった。そしてその宗教右派と自民党との長きにわたる連携は、冷戦構造のもたらした「反共」というイデオロギーに支えられていることも判明した。

どの国においても宗教右派や原理主義者の信奉する価値は「国家と家族の価値」である。彼らが忌み嫌うのが「個人主義」である。彼らにとって、フェミニズムは女の自己主張をそそのかす国家と家族の敵、許しがたい個人主義の一種なのだ。彼らは男の横暴を許すが、女の権利は認めない。国民は誰もが国家の大義と家族の永続のために自己犠牲すべき存在であり、わけても女はそうである。社会学の実証研究はあげて、女性に対するその自己犠牲的な献身の要求がかえって家族の解体に手を貸していることを証明しているのに、彼らは自分たちの主張の非合理性を認めない。ちょうど男系天皇に固執する保守派が、天皇制の解体を早める役割を果たしているようなものだ。

彼らは夫婦別姓が世帯主主義や戸籍制度の解体にまで及ぶことを怖れている。すなわち家父長制の解体を怖れている。したがって彼らがフェミニズムを目の仇《かたき》にするのも理由がある。男性以上に男性的な発言をすることで知られる自民党女性政治家、杉田水脈議員が「男女平等は絶対に実現しない反道徳の妄想です」(二〇一四年)と言ったのも故なしとしない。

このような非合理な敵が、選択的別姓派のアクティビストに向けた執拗な攻撃を、『選択的夫婦別姓はなぜ実現しないのか』[ジェンダー法政策研究所編 2022]の中で選択的夫婦別姓・全国陳情アクション事務局長の井田奈穂さんが報告している。こうした嫌がらせに耐え抜くだけでもストレスフルだし、エネルギーを摩耗するだろう。

宗教右派は統一教会だけではない。生長の家や神道政治連盟も関係している。一九七〇年代に旧優生保護法を改悪して日本の女性から「中絶の権利」を奪おうとしたのも彼らであった。

ピル解禁の遅さや、今日におけるアフターピルのハードルの高さの背後にも、彼らの影響があると思えば、女性の性と生殖の健康と権利をめぐる対立の根は深い。国連のジェンダー関連の国際会議では女性の中絶権がつねに国際的な争点になってきた。女性の身体は女性のものではないのだ、それはつねに国家の管理のもとにある。それを驚愕と共に思い知らせたのは、二〇二二年六月のアメリカ最高裁での中絶違法化の判決であった。一九七三年に中絶を合法化したローVSウェイド判決を、トランプ首相が任命した保守派の女性最高裁判事を送りこんだ法廷は、覆したのだ。この判決はアメリカ女性のあいだに大きな衝撃を走らせただけでなく、日本の女性たちにもショックを持って受けとめられた。いったん得たと思った権利もいつ奪われるかわからない。ましてや日本における女性の「中絶の権利」とは、明治期に成立した刑法堕胎罪を残したまま、運用上で「経済的理由」を拡大解釈して適用されるものにすぎないからだ。根拠法がある限り、国はいつでも運用を厳格化することで女性の管理を強化することができる。

宗教右派だけではない。宗教色はなくとも、日本会議と自民党の関係は第一次安倍内閣の時から指摘されてきた。歴代安倍内閣の閣僚の半数以上が日本会議の会員もしくは支持者だと指摘されてきた。そして菅野完の『日本会議の研究』[菅野 2016] によれば、日本会議は七〇年代にさかのぼる右派学生運動を引き継いでいるという。彼らは左派市民運動のノウハウを学び、草の根で請願や署名活動、集会やデモなどを継続してきた。あらためて対立の根深さを思う。

ウクライナ危機

二〇二二年二月に突然ロシアのウクライナ侵攻が開始されたことも、世界を驚かした。冷戦が終わった後の二一世紀にこんな熱い戦争が目の前で起きるとはだれが予想しただろう？　核が戦争の抑止力になるという神話はもろくも崩れ、ロシアは戦術核兵器の使用を検討しているとさえいう。原稿を書いている二〇二三年一月の段階で戦争はまだ続いている。そもそもこれを戦争と呼んでよいのかどうか。ロシアの一方的な侵攻で、戦闘員と否とを問わず、ウクライナ市民は無力に殺されている。反撃はほぼウクライナ領内の占領地に限られており、ウクライナ側はもっぱら自衛のための軍事力を行使しているにすぎない。

侵攻が始まってから成人男性の出国が禁止されたことも、戦時におけるジェンダー非対称性をきわだたせた。男は「闘う性」なのか、女は「守られる性」なのか。女性兵士に志願する女性たちを、フェミニズムはどう評価すればよいのか？　難題をつきつけられる思いである［佐藤 2022］。

超大国が属国であると見なす近隣の小国を暴力的に支配しようとする……ただちに想起されたのは日本にとっての台湾有事である。アメリカは軍事同盟を結んだ台湾を見捨てないと宣言しているから、日本は集団的安全保障権を行使してアメリカの戦争に参戦することになるだろう。アメリカの圧力があったせいか、岸田政権は国難の危機を煽って国防力の増強と防衛費の増額を言い出した。久しく保守政権が自己規制してきた国防費ＧＤＰ一％のリミッターをはずして二％までに増額し、さらに今後五年間で四三兆円を支出するという。そのお金で買うのは、アメリカ製の時代遅れで格落ちになった兵器ばかり。巨大な市場規模を持つアメリカの産官軍複合に、日本も貢献しようということだ。財源は？という当然の問いに対して、当初はプライマリーバランスをかなぐりすてた国債発行で答え、それでは戦時国債と同じだと言われて引っこめ、復興特別税を充てると答えて趣旨が違うと批判を受けてこれも引っこめた。「決められない首相」「聞く耳を持った総理」は、とつぜん「戦争のできる国」をめざすタカ派の政治的リーダーに変身した。中国の脅威を煽るメディアに誘導されてか、世論は軍拡に同調的である。このままだと、憲法九条に自衛隊をつけ加える改正にもはずみがつきそうだ。憲法改正を悲願とした安倍元首相が生きていたら……という声もある。だが二〇一四年の集団的安全保障をめぐる閣議決定、二〇一五年の安保関連法制の成立、二〇二二年末の安全保障三文書の閣議決定で、実質的に解釈改憲が着々と行われている。政権にとっては、もはや改憲のハードルを越す必要すらなくなったように見える。

史上最悪の介護保険改定

他方で社会保障費は抑制の方向へ向かっている。少子化はくつがえせないレベルにまで低下した。二〇二二年の出生率は一・二七、コロナ禍の影響が出ると予測されてはいたが著しく低い。韓国は〇・八一（二〇二一年）、一を割れば一世代で人口は半減する勘定だ。山崎史郎氏が『人口戦略法案――人口減少を止める方策はあるのか』［山崎 2022］という問題作を出した。フィクション仕立てで政治が少子化に対していかに無策であったかに警鐘を鳴らす著作である。人口現象ほど長期予測の可能な現象はない。なのに政権は長期にわたる人口政策を、まったく怠ってきた。結果、日本は世界でも稀にみる少子高齢社会になった。

だが人口増には自然増だけでなく社会増、すなわち移民による人口移動がある。山崎氏に欠けているのは後者の視点だ。日本民族を増やすばかりが人口政策ではない。外国の人たちに来てもらえばよい。事実、日本では婚姻件数の約五％が国際結婚で、そのうち七八％が日本人男性と外国人女性との結婚である。国籍別では上位から中国、フィリピン、韓国、タイの四カ国で約八割を占める（二〇一九年）。すなわち日本人男性の子どもを主としてアジアから来た外国人女性が産んでくれることになる。それだけではない。移民政策を久しくタブーとしてきたのは、保守政権である。「移民」という用語すら、政策上使わないようにしてきた。外国人には来てほしい、だが労働力として働いた後は定着しないで帰ってほしい……日本経済はすでに外国人労働者がいなくてはまわらないようになっているのに、評判の悪い技能実習生制度やEPA協定などでお茶を濁してきたのである。

山崎氏は介護保険の成立に関わった元厚労省の官僚である。その介護保険もまた、危機にさらされている。二〇〇〇年施行の介護保険はいま二二歳。だが介護保険ウォッチャーのあいだでは、介護保険は生まれてこのかた、ずっと「被虐待児」だったと言われている。法律に仕込まれた三年に一度の改定のたびに使い勝手が悪くなっているからだ。コロナ禍の開始直前、二〇二〇年一月一四日に樋口恵子さんが理事長のNPO法人「高齢社会をよくする女性の会」とわたしが理事長を務める認定NPO法人「ウィメンズアクションネットワーク（WAN）」との共催で「介護保険の後退を許さない！院内集会～バアサンもジイサンも事業者も医療者もケアワーカーも、み～んな怒ってるぞお～」を三〇〇人定員の衆議院議員会館大ホールを満席にして実施した。まだ「三密」回避を言われていないぎりぎりのチャンスだった。この時の参加者の発言は、『介護保険が危ない！』［樋口・上野 2020］に収録されている。

当時すでにケアプランの有料化や、要介護1と2を総合事業に移行するという「改悪」案が審議会のテーブルに出されていた。ケアプラン有料化は世論の反発がつよく、政府はただちに引っこめたが、それから3年後、二〇二三年の第七次改定にあたって、またまた出してきたのが以下のおどろくべき「改悪」案である。

まず利用者の自己負担率を一割から原則二割に上げる。実は二〇二二年一〇月からすでに高齢者医療保険の本人窓口負担率が二割に上昇した。介護保険も医療保険に準じて二割負担を標準にするという改定案である。高額所得者か現役並み所得者はすでに二割負担、三割負担に上昇していたが、この改定が成立すれば現在およそ九割を占める一割負担者がそのまま二割負担者になる。高額所得者といっても「年金を含む収入が単身世帯で年間二八〇万円以上、夫婦世帯で三四六万円以上」というのがその定義である。これのどこが「高額所得者」なのか？　現に一割から二割負担に上がった利用者の中には、利用抑制が生まれているという現場からの報告もある。要介護5の最重度だと利用料上限が約三五万円、その二割負担は七万円、これだけの負担に耐えられる家庭は多くない。

次に要介護1と2を介護保険からはずして、すでに要支援の利用者の受け皿となっている地域支援事業・総合事業に移行するというもの。この総合事業なるもの、従来の介護事業者が引きうける場合には介護保険サービスの報酬単価の七五％程度の低価格に設定され、それでなくても人手不足で悩む事業者はやりたがらない。他にA型、B型と呼ばれる総合事業があり、どちらも訪問介護や通所介護など生活援助を提供する事業で、A型は簡略な研修で従事できる低料金サービス、B型は住民主体のボランティア事業である。そんな受け皿がいまどきどこにあるというのか。実態は自治体丸投げで受け皿なし、まれにモデル地域があっても結局は住民の善意を搾取した安上がり福祉にほかならない。改定の意図は、ホームヘルプやデイサービスは誰でもできる専門性のないしごと、いずれは介護保険からはずしたい、ということだろう。

要介護1と2は決して「軽度」ではない。むしろ認知症高齢者にとっては、身体的自立度の高い1と2ほど介護の負担は大きい。これに対しては公益社団法人「認知症人と家族の会」がただちにネット署名運動を展開し、12月24日に反対署名八万四〇九二筆を厚労省に届けた。

第三はケアプラン有料化。二〇二〇年にはいったん引っこめた案を再び出してきた。こうやって出したりひっこめたりしながら世論の動向を見ているのだろう。要介護認定を受けたひとたちが全員介護保険を使っているわけではない。ケアプランを有料化すれば最初のハードルが上がるのは目に見えている。ケアマネージャーはいくら変えてもいいし、ケアプランは自分でつくってもいい。だがたび重なる改定や加算の連続で、介護保険は増改築をくりかえした田舎の旅館のように複雑怪奇になり、しろうとには手に負えないものになっている。ケアマネージャーに頼らざるをえなくなっているのだ。

第四は福祉用具の買い取り制。すでにポータブル便器や風呂場の手すりなど直接肌に触れるものは買い取り制になっているが、それに加えて歩行具や車椅子など廉価なものはレンタルから買い取りにするという。その方が利用者にとってもコストが安くつくという考え方もあるが、レンタル制には意味がある。レンタルだからこそ、利用者の要介護度の状態に応じて機種変更もできるし、メンテナンスも業者がやってくれる。それが買い取り制になれば売りっぱなしになるだろう。

わたしたちは危機感を抱いた。そして「史上最悪の介護保険改定を許さない！連続アクション」を立ち上げた。主催は前回と同じ「高齢社会をよくする女性の会」と「ウィメンズアクションネットワーク」の二団体に、介護事業者、ワーカー、研究者、ジャーナリスト、利用者、家族等を巻きこんだ。前回は在宅介護系の関係者に限定したが、今回はそれに加えて、施設系の事業者と、在宅医療・看護の関係者にもご登場ねがった。それというのも、人手不足を訴える介護施設に対して、ロボット化によって生産性を向上するという名目で、政府は現行の職員基準配置利用者三人に対して常勤職員換算で一人を、四対一に緩和してよいという裏ワザを出してきたからだ。これには啞然とした。ロボットの導入はよい。だが対人サービス業は基本、スケールメリットによって生産性を上げることができないしごとである。たとえセンサーが作動して呼び出し音を鳴らしても、駆けつけるのは人間だ。それでなくてもワンオペ職場で苛酷な業務を強いられている施設職員の配置を、これ以上緩和することはまったく非常識というほかない。

それだけでなく、在宅ケアに看取りがついてくることで、在宅医療と訪問看護の出番が増えた。だが在宅医と訪問看護師の志がどんなに高くても、高齢者が家にいてくれなければ在宅医療は成り立たない。高齢者の在宅生活を支えるのは医療でも看護でもなく、介護である。その事実を在宅医療の現場のひとびとは知悉しているはずだ。というわけで今回の連続アクションには、在宅医療の関係者をも巻き込んだ。

計五回にわたるオンラインアクションは以下のとおりである。すべてYouTubeで見ることができる。[1]

第一回（一〇月五日）　総論、利用者の原則2割負担とケアマネジメント有料化を中心に
第二回（一〇月一九日）「要介護1、2の総合事業移行、福祉用具の買い取り」を中心に
第三回（一一月三日）　介護施設の職員配置基準をICTで引き下げることはできない
第四回（一一月一〇日）　訪問医療・看護の現場から〜介護がなければ在宅医療はできない！
最終回（一一月一八日）　院内集会&記者会見

短期間にこれだけのアクションを集中したのは、九月にスタートした社会保障審議会介護保険部会の答申案が年内に出るというスケジュールに合わせたためである。このアクションが功を奏したのか、一から四までの検討事項はすべて「先送り」になった。いつまでの「先送り」かは読めないが、ひとまずは勝利したと言ってよい。だがこの先も油断はできない。

政府は介護保険の改定案を小出しにしては様子見をしているので、全貌がつかみにくいが、ほぼ以下のようにシナリオを考えているだろうことがこれまでの改定案から見えてくる。それは要介護認定を3以上の重度者に限定し、生活援助をはずして身体介護に利用を制限し、利用者負担率を上げる……すなわちあげて利用抑制に向かっている。制度はあっても運用上の制約が多いために使えない、これを制度の空洞化という。介護保険財政は黒字続きなのに、これから後期高齢者になる団塊世代のボリュームゾーンを前にして、社会保障費の支出を抑制したいという経済財政諮問会議による「骨太の方針」からの一貫した動きである。

介護保険の空洞化の帰結は以下のふたつ。ひとつは介護の負担を再び家族に押し戻す再家族化である。介護保険はもともと介護の社会化の第一歩、別なことばでいえば「脱家族化」だった。それが再家族化すれば、介護離職や介護虐待が増えるのは容易に予測できる。もうひとつは、絶対的に不足する保険内介護サービスを保険外サービス商品として自費で購入する市場化である。日本の高齢者は貯蓄率も貯蓄金額も高い。高齢者は老後不安からその貯蓄をとりくずさない傾向がある。その貯蓄を放出させて内需拡大に貢献しようという魂胆なのだろう。事実、厚労省は、介護保険の保険内サービスと保険外サービスとをミックスして使う「混合利用」のススメを積極的に推進している。

介護保険いじめに使われているレトリックが、高齢有権者に利益誘導するシルバー民主主義や、社会保障費の世代間配分の不公平だ。だがもともと多いとはいえない社会保障費を世代間で争うのは得策ではない。子育て世代に支援を増額するために高齢者福祉を減額する理由はないし、子育て支援の費用だって国防費に比べれば微々たるものだ。それだけでなく世代間対立を煽る言説に対しては、若い世代に向けてわたしはこう言っている。介護保険があるからこそ、親をひとりで安心して置いておくことができるし、あなたも安心して親から離れていられる。そしていずれ必ず来るあなた自身の老後の安心のためにも、介護保険を守ることは絶対に必要なのだ、と［上野 2021］。

学術会議への介入

昨年一二月、内閣府は突然「日本学術会議の在り方についての方針」を示した。学術会議関係者には、会長も含めて、寝耳に水の情報だった。学術会議の関与しないところで政府の意向に沿った学術会議改革案が着々と用意されていたのだ。二〇二〇年九月の菅政権による任命拒否事件も解決しないいまま、説明責任を果たさずに、会員任命に「第三者機関」の介入を求めるという、露骨な政治的介入案である。

この背後に学術会議のたび重なる「軍事研究拒否」の姿勢があることは明らかだろう。ウクライナ危機がこの介入に拍車をかけた。学問研究を政治の管理下に置きたい……という意図が見え透く。だがそれは学問の死を意味する。学問は異論の集合であり、異論を排した学問はもはや学問ではないからだ。長期に見れば学問の統制や研究費配分による誘導が学問を痩せさせ、成果を貧しくしていることを多くの研究者は指摘し、警告してきた。日本の大学の国際ランキングは低下する一方だし、論文の生産数も下がっている。毎年ノーベル賞受賞者に日本人が登場するかどうかが注目されるが、受賞した科学者の多くは過去の業績に対して評価を受けたもので、受賞者自らがこれから先、日本の科学者の中からノーベル賞受賞者が出ることに悲観的な観測をしている。それは日本の科学政策が基礎科学を軽視し、若手の研究者の養成を怠り、次世代の人々にとって研究者を魅力のない職業にしているためである。

愚かな政治・愚かな国民

同じことは国家公務員にも言えると聞いた。官邸主導の無理筋が通るようになり、人事による政治家の恫喝が効果を持ち、忖度政治のもとで「国民の公僕」である官僚は劣化した。ために離職率は上がり、求職者も減少しているという。あの政治家たちに仕えると思えば……そりゃやる気もなくなろうというものだ。

政治家もまた、劣化した。国会答弁でのかみあわない議論やごまかしやはぐらかし、逃げ、開き直り……の数々からなる「国会話法」を聴いている子どもたちは、政治家を「希望する職業」には選ばないだろう。

コロナ禍という未曾有の非常時を過ごした三年間。わたしたちは愚かな政治的指導者を持った国民の悲哀を、これでもか、と味わってきたのだ。

その結果はみじめなものである。東京新聞が安倍国葬をきっかけに、安倍政権の総決算として、政権発足前の二〇一二年末と政権終了後の二〇二〇年前半の経済指標を比較している。[2]安倍首相在任中の七年八カ月の間に日本の借金は二五〇兆円増えて一一八二兆円になった。これは日本のＧＤＰの二〇七％である。日銀の国債保有率は一一・五％から四七・二％へ。実質賃金は一〇四・五から九九・九へ低下。上がったのは実体経済を反映しない株価ばかりだが、他の経済指標を見ればＧＤＰ成長率は先進国で最低ランク、何より豊かさの指標となる国民一人当たりＧＤＰは三〇位、一人当たりの生産性は二八位（二〇二〇年）、そしてジェンダー格差が一一六位である。ネットで最新情報を検索するたびに順位が下がるので、気持ちが暗くなるばかりだ。

毎日為替相場をチェックするたびに円安が続いている。安倍政権発足時の円相場は八五円、政権末期は一〇六円だが、二〇二二年末には三二年ぶりに「一五〇円を突破」と報道があった直後に一五四円を記録した。今は円高に戻したとはいえ一三〇円台である。円安でトクをするのは輸出産業というが、日本製品は「安い」といって買われる。反対に輸入品は石油を初めとしてすべてが値上がりし、原材料価格、物流コストを通じて生活のすみずみにまで影響する。わたしは一ドル三六〇円の時代を知っている世代だ。このままでは海外旅行や留学にも手が届かなくなるだろう。

通貨の価値とは何か？　それはその国の国力に対する国際社会の評価のことだ。それが軒並み低下している。日本はすでに先進国とはいえない、二流国になった、いや、三流国だという人さえいる。それなのに人口政策を含めてこの国の政治には長期のビジョンが何もない。外国人労働者に来てもらいたくても、通貨価値が下がれば、日本で働く魅力がなくなるだろう。

誰のせいか？　犯人はいる。なぜならこれは人災だからだ。安倍長期政権を支えてきたひとたちには責任をとってもらいたいが、彼らは逃げ切るだろう。そして残されたツケを支払わされるのは、もっぱら次の世代の国民なのだ。

終わりに

中国は春節の前、突然ゼロコロナ政策を一八〇度転換して完全自由化に舵を切った。感染者は急速に増え、病人は溢れ、死者も増えて葬儀場に列ができた。あたかも統制をはずして国民を野放しにしたらこうなる、と見せしめを示しているかのようだ。中国政府はふたたび統制強化に向かっているとも聞く。コロナ対策には強権的な権威主義的政権が有効なのか、それとも政府の統制に従わない民主主義的な、したがって国民がワクチン接種をめぐって分断されるような政治がよいのか。あるいは日本のように法的強制力がなくても国民が同調圧力のもとに「自主規制」する社会がのぞましいのか?

コロナ対策をめぐって各国の対応の比較と検証が行われるべきであろう。

このシリーズの最初に書いた文章に戻ろう。非常時には平時の矛盾や問題点が拡大・増幅してあらわれる。コロナ禍で経験したことには、奇妙な既視感がある。これをわたしは知っている、と。コロナ禍を戦争になぞらえるとしたら、日本はふたたびコロナ戦争に敗北した。日本はあの戦争にも敗北し、原発事故にも敗北し、そのつど大きな犠牲を払ってきた。わたしたちはその敗北から、いったい何を学ぶのだろうか。

(二〇二三年一月八日)

注

1　第一回（一〇月五日）　総論、利用者の原則2割負担とケアマネジメント有料化を中心に
YouTube 配信　https://wan.or.jp/article/show/10259
第二回（一〇月一九日）「要介護1、2の総合事業移行、福祉用具の買い取り」を中心に
YouTube 配信　https://youtu.be/MCflHdjitzY
第三回（一一月三日）　介護施設の職員配置基準をＩＣＴで引き下げることはできない
Youtube 配信　https://youtu.be/dXL7N86l1_Q
第四回（一一月一〇日）　訪問医療・看護の現場から〜介護がなければ在宅医療はできない！
YouTube 配信　https://youtu.be/E1Jj7tU0UUo
11月18日院内集会＆記者会見
YouTube 配信　https://www.youtube.com/watch?v=rFzkye0VJ60

2　「アベノミクス、株高、雇用改善に陰り　残った巨額国債」（東京新聞二〇二〇年八月二八日付）
https://www.tokyo-np.co.jp/article/51822

〈参考文献〉

上野千鶴子 2021『在宅ひとり死のススメ』文春新書
佐藤文香 2022『女性兵士という難問　ジェンダーから問う戦争・軍隊の社会学』慶應義塾大学出版会
ジェンダー法政策研究所編 2022『選択的夫婦別姓はなぜ実現しないのか　日本のジェンダー平等と政治』花伝社
菅野完 2016『日本会議の研究』扶桑社
樋口恵子・上野千鶴子 2020『介護保険が危ない！』岩波ブックレット
山崎史郎 2022『人口戦略法案―人口減少を止める方策はあるのか』日本経済新聞出版

［高校演劇］

コロナ禍の高校演劇

工藤千夏

工藤千夏（クドウ・チナツ）

一九六二年、青森市生まれ。劇作家・演出家。青年団演出部所属。うさぎ庵主宰。渡辺源四郎商店ドラマターグ。ニューヨーク市立大学大学院演劇科修士課程修了。代表作『真夜中の太陽』（原案・音楽：谷山浩子）は、二〇一五年から劇団民藝版が全国巡演。高校演劇コンクールの審査やＷＳを全国で展開。震災高校演劇アーカイブを運営する他、高校演劇に関するコラムを「論座」等に多数執筆。

（一社）日本劇作家協会評議員・高校演劇委員会ワーキンググループメンバー。四国学院大学非常勤講師、青森県立保健大学非常勤講師。（一社）進め青函連絡船理事。

うさぎ庵ＨＰ　https://nabegenhp.wixsite.com/usagi-an

震災高校演劇アーカイブＨＰ　https://nabegenhp.wixsite.com/kokoengeki

1　はじめに――高校演劇の基礎知識――

高校演劇になじみのない方のために、まず、高校演劇について簡単に説明させていただきたい。

①高校演劇は、学校教育の現場でおこなわれる部活動である

演劇部の活動は、文部科学省（以下、文科省）や各都道府県の高等学校文化連盟から示された指針に沿っておこなわれる。新型コロナウイルス感染対策ガイドラインは、文科省から各都道府県の教育委員会に発出された指針を元に、各都道府県の高等学校文化連盟がそれぞれ作成する。

②全国大会を頂点とするコンクールがある

全国高等学校演劇協議会（令和四年度加盟校数一九九七校）が開催する全国高等学校演劇大会、いわゆる「全国大会」が、毎年七月下旬から八月初旬、三日間開催される。会場は各都道府県持ち回り。前年度の予選（各地区大会、都府県大会、ブロック大会）を経て、開催地枠を含む一二校が出場権を得る。

③コンクール以外の発表機会は、春フェス、学校祭、自主公演など

審査のない春季全国高等学校演劇研究会（通称「春フェス」）が毎年三月に実施される。同じ年度のブロック大会から一校ずつ推薦され、出場する。新入部員獲得のために新歓上演を行う学校も多い。また、学校祭、他校との合同公演、各種フェスティバルでの上演など、地域演劇の一端を担う一面もある。

④高校演劇の活動スケジュールは、学校の暦《こよみ》（年度）に準拠

四月新入部員入部、九月地区大会（早い地区では七月）、一一月県大会、一二月～一月ブロック大会、二～三月は自主企画やフェス、三月に三年生卒業。受験勉強のために三年生の途中で引退するケースが多く、二年強しか実動期間はない。ブロック大会で最優秀賞を受賞しても、三年生は翌夏（卒業後）開催の全国大会に出場することはできない。

⑤コンクール台本（六〇分）は、創作脚本と既成脚本に大別

創作脚本とは、在学中の演劇部員か顧問が、一人あるいは共同で書いたオリジナル脚本。自分たちの興味や部員数などに合わせて当て書きをすることが多い。コロナ下、新型コロナウイルス感染拡大の高校生活への影響を描く作品が急増した。

既成脚本とは、現役の部員・顧問以外（プロ・アマを問わず）が書いた脚本。卒業生やコーチ、転任・離任した顧問が書いても既成として扱われる。著作権処理が必須で、著作権者の許可を得てコンクール規定時間の六〇分に収まるよう潤色する。古典戯曲も既成脚本。

2 コロナ禍の高校演劇　影響の推移

二〇一九年度末、全国一律の休校要請で、春フェスをはじめとする上演がいきなり中止。

二〇二〇年度、生徒の安全を守るための感染対策ガイドラインが、大会実施を困難にし、演劇表現を規制するという事態が発生。

二〇二一年度、通常の学校生活・部活動に戻れない状況が続き、無観客上演、配信、映像審査などの手立てを模索する。

二〇二二年度、特に一〇月以降、ウィズコロナで大会実施がデフォルトになったが、部に感染者や濃厚接触者が出て、出場辞退、代役上演、映像に差し替えなどの対応に迫られるケースが頻出。

新型コロナが三年続くということは、二〇二〇年四月に入学した高校生は、三年間まともに学校生活が送れないということだ。一度も観客の前に立てないまま、卒業する演劇部員もいる。部活動における先輩から後輩への技術伝承もとぎれがちだ。そもそも少子化の影響で部活加入者数が減少傾向にある中、一年生が入部せず、廃部に追い込まれたという話も聞かれる。

新型コロナが高校演劇に及ぼした影響の詳細を時系列で見ていこう。「高校演劇」はこの「定点観測 新型コロナウイルスと私たちの社会」シリーズに初出のため、まず、第一波から第七波までを振り返る。

第一波（期間：二〇二〇年三月〜五月頃）／初の緊急事態宣言

二〇二〇年二月二七日、安倍晋三首相（当時）は、三月二日から全国すべての小学校、中学校、高校などは、春休みに入るまで一律に臨時休校とするよう要請する考えを唐突に示した。これを受け、二月二九日、全国高等学校演劇協議会は「第一四回春季全国高等学校演劇研究大会（新潟大会）」（三月二〇日〜二二日、りゅーとぴあ新潟市民芸術文化会館で予定）、通称「春フェス」の中止を発表した。

全国大会（春季も含む）の歴史において、口蹄疫の発生による出場校辞退（二〇一〇年宮崎全国大会・北海道ブロック代表　鹿追高校演劇同好会）はあったが、大会そのものが中止になるのは初めてであった。東日本大震災が発生した二〇一一年でさえも、会場を福島県から香川県に変更し、第三五回全国高等学校総合文化祭演劇部門大会・福島大会東日本大震災復興支援香川大会を開催した。

ちなみに、二〇二〇年三月の一斉休校で、全国の小中高校の終業式、卒業式も、第九二回選抜高等学校野球大会、いわゆる春の選抜野球も中止となった。自主公演も軒並み中止となった。四月に入っても、リモート授業や分散登校のため部活動は自粛。新入生獲得ができなかった演劇部も多数。演劇や合唱がクラスターを生むという風当たりも強かった。

第二波(期間:二〇二〇年七月~八月頃)/飲食店への時短要請、「Go To トラベル」開始

七月三一日~八月二日に高知県高知市で開催されるはずだった第六六回全国高等学校演劇大会(全国大会・高知県開催)は、一二校のうち一一校が映像を提出し、審査はおこなわれなかった。ブロック大会記録映像を提出した埼玉県立川越高校演劇部、映画として映像作品を新たに制作した徳島市立高校演劇部、県の高文連の新型コロナウィルス感染防止対策ガイドライン(以下、ガイドライン)により新規収録ができず、メッセージ映像のみ提出した青森県立青森中央高校演劇部など、その対応は都道府県や学校の事情によって分かれた。ほかの九校は無観客上演か、関係者のみ観劇できる上演をおこない、提出映像を収録した。それらの映像は、令和四年度静岡県高等学校総合文化祭(以下、「総合文化祭」は総文)のサイトであるWEB SOUBUNで、二〇二〇年七月三一日から一〇月三一日まで公開された。

前述の春フェスは特設チャンネルで映像配信もおこなっているのだが、こうち総文の演劇部門として他部門に足並みを揃え、上演校自らがYouTubeにアップした動画リンクという方法を取ったため、映像配信のための洋楽の使用料(配信におけるシンクロ権や原盤権など)に関しても、上演校で対応しなければならなくなった。

北海道富良野高校演劇部は使用曲を変更した。また、洛星高校演劇部、愛知県立津島北高校演劇部、愛知高校演劇部が、音楽使用シーンで音声をミュートするという選択をした。全国大会の舞台を踏むことができなかった部員たちが、突然音声が切れるという不完全なかたちでの配信に甘んじなければならなかったのは無念である。

国立劇場で上演されるはずだった「第三一回全国高等学校総合文化祭優秀校東京公演」（「全国高総文祭」の演劇・日本音楽・郷土芸能三部門からそれぞれ選ばれた優秀校四校、演劇部門は前年度の東京都大会推薦作品を加えた五校が上演）も中止。八月上旬の「第二六回高校演劇サマーフェスティバル・in シアター1010」中止。文化祭・学校祭自体が中止か延期という高校が多く、発表の場を持てない状態が続いた。各都道府県の高校演劇連盟主催によるワークショップも、ほぼすべて中止であった。

第三波（期間：二〇二〇年一一月中旬～二〇二一年二月中旬頃）／ガイドラインとの戦い

和歌山県田辺市の紀南文化会館で二〇二一年八月四～六日に開催予定の全国大会（第六七回全国高等学校演劇大会）に向けて、予選（地区大会→県大会→ブロック大会）の実施に多大なる影響が出た。問題点は大きく以下。

・大人数が集まる大会（コンクール）実施の是非。
・ガイドラインによる演劇表現への規制。
・団体行動、特に移動・宿泊への懸念。
・会場となる公共ホール確保の困難さ。

ガイドラインは、文科省から各都道府県の教育委員会に発出された指針を元に、各都道府県の高等学校文化連盟がそれぞれ作成する。そのガイドラインに沿ったコンクールのルール改変も、各都道府県で変わることになる。また、地区大会、都府県大会、ブロック大会の実施日はそれぞれ違うので、各地のそのときの感染状況が大きく影響した。

ブロック大会の実施状況を見てみよう。

・北海道ブロック…支部大会（一〇地区）はすべて実施できたが、全道大会が映像審査。
・中部ブロック…　中部六県のうち予定通り地区大会を終えることができたのは福井県、富山県のみ。中部大会は日程・開催地（岐阜県）を変更して三重県開催。福井県、富山県、三重県の七校の無観客上演となった。
・関東ブロック…関東大会が映像審査に変更。
・近畿ブロック…近畿大会の会場探しに難航。京都芸術大学の協力を得て、第二〇回「春秋座」招待公演「演じる高校生」兼「第五五回近畿高等学校演劇研究大会」として五校出場で実施（和歌山県が出場辞退）。
・四国ブロック…全国大会や春フェスの出場校を話し合いで決め、年度をまたいだ二〇二一年四月に四国大会代替の上演発表会開催。

奇跡的に実施できた東北大会、中国大会、九州大会も、観客席を収容人数の五〇％以下にする必要から、無観客上演か、参加校と届け出た関係者のみ観劇できる一般非公開であった。出場を辞退したり、映像提出に切り替える学校もあった。公共ホールが自治体の要請でクローズしている期間は、会場確保も困難を極めた。

さらに、感染拡大防止ガイドラインが舞台表現そのものを規制するという状況は、演劇とは何かという本質的な問いかけをも孕む。

長野県、青森県のガイドラインが特に厳しく、たとえば「いかなる場合も一メートル以上離れる」「向かい合って話す場合には二メートル以上離れる」「接触は禁止」「マスク・フェイスガード・アクリル板を使ってもこのルールは変更出来ない」「このルールが守られなかった出場校は失格」等が課せられた。

第四波（期間：二〇二一年三月〜六月頃）**／まん延防止等重点措置**（まん防）**の初適用**

二〇二一年一月七日に発出された二度目の緊急事態宣言は三月二一日まで延長され、関東大会は映像審査に変更された。宣言明けの三月二六〜二八日、北九州芸術劇場（中劇場）において、第一五回春季全国高等学校演劇研究大会福岡（北九州）大会が実施。わずか一日置いて、三月三〇、三一日の二日間、穂の国とよはし芸術劇場PLATで第六六回全国高等学校演劇大会代替上演会がおこなわれ、こうち総文に出場するはずだった一三校のうちの七校が上演を果たした。一般非公開とはいえ、とにかく舞台を見つめる観客が客席にいる、熱い拍手が起こる。延期と中止を繰り返した年度の最後の最後、駆け込むように上演された、逆転ホームランのような舞台であった。

四月一二日、都道府県をまたぐ移動自粛の呼びかけ徹底を全国知事会が提言した。四月二五日（〜六月二〇日沖縄は継続）には、三回目の緊急事態宣言発令。それでも、オリンピック実施に向けて準備が進む風潮を追い風に、全国大会（和歌山大会）の準備に邁進していく。

第五波（期間：二〇二一年七月〜九月頃）／オリンピック開催

四回目の緊急事態宣言（七月一二日〜九月三〇日）が発令されている中、七月二三日から東京2020オリンピック（〜八月八日）が始まる。オリンピック開催を伝家の宝刀に、八月四日〜六日、紀南文化会館（和歌山県田辺市）において、第六七回全国高等学校演劇大会（わかやま総文）も実施され、全国各ブロックの代表一二校が上演を果たした。一般観客の入場は不可、上演校と関係者だけが観劇を許されるという入場制限は残ったが、全国大会が二年ぶりにリアルで実施できた意義は計り知れない。

公立高校の部活動は感染者数や病床逼迫度の変化に振り回され、部活動原則禁止や、週三回までならオーケー等の制限と解除が繰り返されていた。そのため、学校長判断で制限を設けなくてもよい私学と、部活動に取り組むことができる時間に差異が生じるようになっていた。

第六波（期間：二〇二二年一月〜三月頃）／オミクロン株の急拡大

二〇二一年後半、一〇月以降の予選は、開催か映像審査か地域ごとに決断を迫られた。ブロック大会の中で一番遅い一月下旬の関東大会が映像審査になったが、第二回まん防が終了した二〇二二年三月二一日、すばるホール（大阪府富田林市）で三日間におよぶ第一六回春季全国高等学校演劇研究大会（春フェス）が幕を下ろした。一般観客が申し込める無料の一日指定席券を六〇名分程度用意し、パブリックビューイング会場も設定。幕間にディスカッションする生徒講評委員会も、出場校が出し物を披露し合う生徒交流会も実施された。

第七波（期間：①二〇二二年四月〜六月頃 ②七月〜九月頃 ③一〇月）／ウィズコロナ！

新規感染者数がどんなに増えても政府の方針は「感染症対策と社会経済活動との両立を図る」であり、かつてのように、緊急事態宣言やまん防といった行動制限を求めることはなくなっていた。オミクロン株が猛威を奮い、第七波は演劇界をも直撃。プロの演劇公演の中止や延期の報が毎日のように聞かれる中、第六八回全国高等学校演劇大会（全国大会・東京）は、なかのZEROで一般客も迎え、二〇二二年七月三一日から八月二日までほぼ通常どおりに開催された。

八月二七日、二八日には第三三回全国高等学校総合文化祭優秀校東京公演が国立劇場大劇場で実施され、配信もおこなわれた。

3　そして第八波——大会実施と出場辞退のディレンマ——

二〇二三年七月三〇日から八月一日まで、第六九回全国高等学校演劇大会（全国大会・鹿児島）が川商ホール（鹿児島市）で実施される予定である。例年どおり、この全国大会に向けて予選が行われるわけだが、大会そのものは実施がデフォルトになったにもかかわらず、出場校の演劇部員に感染者や濃厚接触者が出て、出場辞退を余儀なくされるケースが頻出している。第八波の中、参加予定校が一校も欠けることなく上演を果たすことができるのは、単にラッキーとも言える状況だ。

文科省初等中等教育局健康教育・食育課が令和四年九月九日付で派出した「新型コロナウイルス感染症の患者に対する見直し等を内容とする『新型コロナウイルス感染症対策の基本的対処方針』の変更について」で、以下の記述がある。

（特に、学校においては）療養解除後も、有症患者については発症日から一〇日間が経過するまで、無症状患者については検体採取日から七日間が経過するまでは、感染予防行動の徹底が求められることまた、濃厚接触者に関しては、同課が令和四年八月一日に発出した「新型コロナウイルスへの感染が確認された者及び濃厚接触者への対応等について」に以下の記述がある。

濃厚接触者の待機期間の見直しについて
特定された濃厚接触者の待機期間が最終曝露日（感染者との最終接触等）から五日間（六日目解除）とされるとともに、二日目及び三日目の抗原定性検査キットを用いた検査で陰性を確認した場合は三日目から解除が可能。

このガイドラインに従って、感染者、濃厚接触者がいつ学校生活に復帰できるかが決まる。つまり、いつ発症したかによって大会参加の可否が決まる。棄権を回避するためには、代役をたてて上演するか、用意していた記録映像を上映するといった対応が必要となる。上映が認められるか、また、その上映が審査対象になるかは各地区の高校演劇連名事務局によって判断が分かれている。

私が得た各地の情報を列挙する。

北海道網走南ケ丘高校演劇部は、全道大会の一週間前に感染者が出た。部員五人全員がキャストで代役をできる部員がいなかったため、顧問の新井繁教諭が台本を持ったまま「高校生」役の代役を務め、上演を果たした（北海道ブロックのルールでは、全道大会までは教員も出演できる）。なんと、全国大会（かごしま総文）の出場権を得た。

香川県大会では、感染者が出た坂出高校演劇部が上演辞退。濃厚接触者が出た丸亀城西高校演劇部の上演が検討された。陰性確認の上、三日目から待機解除となるというガイドラインを受け、大会二日目、エントリー校の上演終了後、審査対象外の特別上演が認められた。その後の四国ブロック大会では、香川県立高松工芸高校が上演辞退となった。

近畿大会では、大阪府立岸和田高校演劇部が上演辞退で上映となったが、春フェスと春秋座で開催される「演じる高校生」に選出された。

中国ブロック大会では、二校の部員が発症。山口県立光高校演劇部は上映に変更。岡山学芸館高校演劇部は、演出担当の部員が感染者の代役で急遽出演し、春フェスに選出された。

ほかに、群馬県大会では伊勢崎清明高校演劇部が、福島県大会では磐城桜が丘高校が、広島県大会では沼田高校が、関東大会では長野県立松本美須々ヶ丘高校が、上演辞退で上映に変更となった。いずれも審査対象であったが、次の大会への進出は叶わなかった。

ちなみに、このフェイズに入っても、長野県と山梨県は県大会まで「舞台上で俳優は接触禁止」「一メートル以上の距離を保つこと」の規制がなされたという。

4　コロナだから生まれた高校演劇の傑作

　さて、高校演劇と聞けば、高校生の友情や恋愛を熱く描く学園もの、ギャグやアニメへのオマージュが散りばめられたライト・コメディを思い浮かべる向きも多いだろう。だが、高校生が自分たちの「今」を見つめるとき、「いじめ」「ネグレクト」「貧困」「不況」「ハラスメント」「家庭内暴力」「原発問題」「差別」などのさまざまな社会問題が、高校生のアンテナにひっかかる。もちろん、高校生活にダイレクトに影響を及ぼす「新型コロナウイルス」も。
　コロナがなかったら生まれなかった高校演劇作品を紹介しよう。

北海道富良野高校『お楽しみは、いつからだ』（作／富良野高校演劇同好会　二〇二〇年初演）

　この作品は、変わり続けるコロナの状況、明日にはもう共感しづらくなっているかもしれない今この瞬間のリアルに、どうやって普遍性をもたらすか、その難問に対して、すでに過去になっている「二〇二〇年四月の部活動説明会の控え室」を定点で描くことで明快な回答を提示した。各部の部長たちは、その夏に控えている大会の抱負を語る。観客はそんな未来が来ないことを知っている。しかも、芝居のテイストは力の抜けたコメディで、舞台上の誰もコロナがたらす影響を悲観も楽観もしない。だからこそ、教員二人が黙々と消毒する中、演劇同好会の新入生勧誘の言葉がオフで聞こえてくるというラストシーンは余計に切ない。

青森県立木造高校『全部コロナのせい!!』(作/川村香奈子 顧問創作 二〇二〇年初演)

二〇二〇年夏、県外に移動することが禁止され、コロナを持ち込んだ者が後ろ指を指されていた時期の地方都市の空気がヴィヴィッドに伝わる作品である。学園祭・体育祭の実施希望アンケートを集計している生徒会、学校の対応といった、当時の高校生の日常をていねいに描き、大団円と見せかけたあとのショッキングなどんでん返しがネットで話題になった。顧問がTwitterで募集した希望者に映像を送って、口コミでそのおもしろさが広がったり、日本劇作家協会「戯曲デジタルアーカイブ」でアクセス数が上位に食い込んだりという作品認知の術がまた、いかにも観劇機会が激減したコロナ時代らしい。

青森県立木造高校『全部コロナのせい!!』提供:同校演劇部

北海道富良野高校『お楽しみは、いつからだ』提供:同校演劇同好会

島根県立横田高校『２０２０５６７８』（作／伊藤靖之　顧問創作　二〇二〇年初演）

ことばを発することを禁じられた演劇部員が、表現の抑圧と闘う物語である。もともと、舞台上での発声を禁止された文化祭での上演のために創作した短編を六〇分に発展させたという話を、作者である伊藤靖之教諭にうかがった。「自粛」「ディスタンス」「不要」「県内」「軽率」「感染」「マスク」「隠蔽」「知事」「ＺＯＯＭ」「ソーシャル」「会食」「保健所」「蔓延」「ワクチン」「ＰＣＲ」「分散」「鬱」「陽性」「トラベル」「失業」「休校」「呼吸」「疑」……キーワードが書かれた文字箱をマスク姿の少女たちが放り投げ、蹴り倒すアクション、その無言の怒りの強さたるや。演劇部部長が県外から来ている寮生であるという設定が、コロナ差別を描く上でも効いていた。

追手門学院高校（大阪府）**『学校へ行こう』**（原案／演劇部　脚本・構成／いしいみちこ　補作：神永真実　二〇二〇年初演）

この作品を創作したいしいみちこ教諭は、演劇的手法によるコミュニケーション教育の第一人者である。『学校へ行こう』では、実現などあり得ない理想の生活も、演劇の力（イマジネーションとミュージカル力！）

追手門学院高校『学校へ行こう』提供：全国高等学校演劇協議会　撮影：彌冨公成

島根県立横田高校『２０２０５６７８』提供：全国高等学校演劇協議会　撮影：彌冨公成

で成就する。友だちの望みを叶えるために、みんなで、入ることを禁止されていている屋上に昇るクライマックスは圧巻。そうか、コロナのせいで登校できない高校生たちが想像力で「学校」に行き、友だちと会い、未来を語る話なのだとわかった瞬間、涙がこぼれる。

いしいみちこ教諭が福島県立いわき総合高校に勤務していた時代に指導した作品群や、二〇一五年、第六一回全国大会（滋賀大会）で、同校演劇部が上演した『ちいさなセカイ』（原案：いわき総合高校演劇部、構成・脚本：齋藤夏菜子）では、演劇イマジネーションの力の到達する目的地は、福島第一原発事故による帰宅困難地域にあるわが家であった。二〇二一年三月の時点で、そこにあるのに行きたくても行けない場所が、コロナのために全国各地の学校に拡大してしまったことは、あまりに辛い。

久留米大学附設高校『19-Blues』（顧問・生徒創作：附設高校演劇部・岡崎賢一郎 二〇二〇年初演）

タイトルの19という数字を見ただけで、コロナを想起させられる。そして、実際、タイトルどおり、COVID－19の影響を受けつつ高校を卒業した一九歳の若者たちを描く作品だ。せっかく大学に受かっても大学生活が始まらない女子と、浪人生となった男子と女子、その三人を中心にドラマが進む。自分と同じ扮装をした人形をあえて持ちながら演じるメタ構造の舞台を見つめながら、「コロナだから終了させられてし

久留米大学附設高校『19-Blues』提供：全国高等学校演劇協議会　撮影：彌冨公成

まったこと、コロナだから区切りをつけられなかったこと」について、観客は考えさせられる。そして、さらに、コロナに関係なく、人間が生きていく上で「終わらせなければいけないこと、終わらせてはいけないこと」についても。コロナがあろうとなかろうと、「一九歳」というその一年は二度と戻らない。

岩手県立千厩高校『２０２０年のマーチ』（作：岩手県立千厩高校演劇部　劇作指導：小堀陽平　生徒創作　二〇二〇年初演）

新型コロナの感染が拡大する状況下の初期、地方都市のシェアハウスに暮らす若い女性だけの四人芝居。こんな時期に海外旅行に行った一人を巡って、そもそも社会的地位が不安定な若い女性たちの生き辛さがより鮮明になる。ナチュラルな現代口語で四人の関係性を緻密に構築したこの作品は、下北沢あたりの小劇場でそのまま上演できそうなクオリティで、コロナのみならず、シェアハウスの外の世界、彼女たちが戦い続けなければならない社会をも描き出した。

徳島県立城東高校『非線形ゴミ捨て・ベータ版』（作：よしだあきひろ　顧問創作　二〇二〇年初演）

学校カーストを鋭くえぐる社会派ドラマである。だが、ちっとも硬派の顔をしていない。登場人物の名前は、ゴミ捨て、ゴミ捨て補助、ゴミ

岩手県立千厩高校演劇部『2020 年のマーチ』
提供：全国高等学校演劇協議会　撮影：彌冨公成

袋補充係、廊下ホウキ係A地区、廊下チリトリ係……。清掃の時間だけしか存在しない学校という設定で、あくまでもすっとぼけた空気感を基調に、全体主義国家を連想させるディストピアを描く。そして、やっと逃れたその先は、皮肉にも新型コロナが蔓延するマスク着用のリアル・ワールド。現実が奇想をはるかに超えた今を、そして、日本という国家を否が応でも直視させられる。

星稜高校（石川県）**『神様の放送室』**（作：星稜高校演劇部　二〇二一年初演）

「新しい生活様式」と昨今の日本のマスメディアのあり方に真っ向から疑問を投げかけた希少な作品である。舞台は、ある高校の放送室。昼食時に黙食を徹底させるための校内放送を、より生徒指導に都合のよい放送に統制するべく学校側から送り込まれた優等生と、ジャズ好きの空気を読まない番組パーソナリティの友情の物語でもある。誰に向けて放送しているのか。番組の私物化とは何か。メディアの中立、公平性とは何か。サックスの生演奏とメディアが善にも悪にもなることを体現するコロス（古代ギリシア劇の合唱隊）に導かれ、観客は共に考え始める。

徳島県立城東高校『非線形ゴミ捨て・ベータ版』提供：大阪府高等学校演劇連盟　撮影：森智明

星稜高校『神様の放送室』提供：大阪府高等学校演劇連盟　撮影：森智明

愛媛県立松山東高校『きょうは塾に行くふりをして』（作：越智優、曽我部マコト　既成　二〇二一年初演）

演劇部の大会前日のリハーサルという設定のウェルメイド・プレイ（うまく作られた演劇）。舞台上で、舞台上の物語が繰り広げられる。昨今は実際の大会リハでマスク着用の必要がないルールを利用し、コロナなど無関係なコメディを装って始まる。演劇部あるあるのアクシデントが頻発し、彼らのダメダメな上演作品『大きな栗の木の下で』のリハは難航を極めるが、ショウ・マスト・ゴー・オン！

「高校演劇愛」に満ち溢れているこの作品の主軸となるのは、演劇部員ではなく、元テニス部、今は帰宅部の少年だ。新型コロナでどうせ何もできないなら、一足先に受験勉強だけしようと考えていた彼が、新型コロナが奪った大切な「何もかも忘れて夢中になれる時間」を取り戻す挑戦の物語に、観客は大笑いしながら涙する。

愛媛県立松山東高校『きょうは塾に行くふりをして』提供：全国高等学校演劇協議会　撮影：中村忠夫

青森県立青森中央高校『俺とマリコと終わらない昼休み』（作：畑澤聖悟　顧問創作　二〇二一年初演）

タイムリープSF活劇。二〇二〇年のこうち総文に出場するはずだった『俺とマコトと終わらない昼休み』（配信も辞退）がベースになっている。当時の一年生が高校生のうちに再チャレンジしたいと、取り組んだ経緯があるという。

二〇一九年一二月の東北大会バージョンは、新型コロナ前の作品だから、舞台となる教室には新型コロナウイルスなど存在しなかった。冒頭の授業シーンで、英語教師はイージス・アショアと、青森県つがる市にある航空自衛隊の地対空誘導弾パトリオットについて語っていた。二〇二一年一二月の東北大会で上演された『俺とマリコと終わらない昼休み』(タイトルロールの名前は出演者に合わせて変更)では、教室にいる全員がマスクを着用し、英語教師は「マスクを付けながらの生活は、すでに日常です」というウィズコロナのストレスだけを語り、教室目掛けて飛んでくるミサイルの背景は物語が進んでから提示される。そして、二〇二二年八月の全国大会上演バージョンでは、英文和訳を当てられた生徒が「ウクライナでは毎日ミサイルが飛び交い、核ミサイルさえいつ飛んでくるかわからない」と発表するシーンから始まる。

パンデミックで様変わりした世界は、ロシアのウクライナ侵攻でさらに変貌を遂げた。死も戦争も恐ろしいほど日常との距離を縮め、三年前とは比べものにならないほど身近になった。そして、パンデミックも戦争も終息するどころか、日々変化し続けている。だから、主人公ガクトが変えてみせると宣言する「今の世界」は、観客が生きる「今」でなければ心を打たない。この作品が背負った「今」をアップデートし続けなければならない宿命は、作品を研ぎ澄まし続ける。

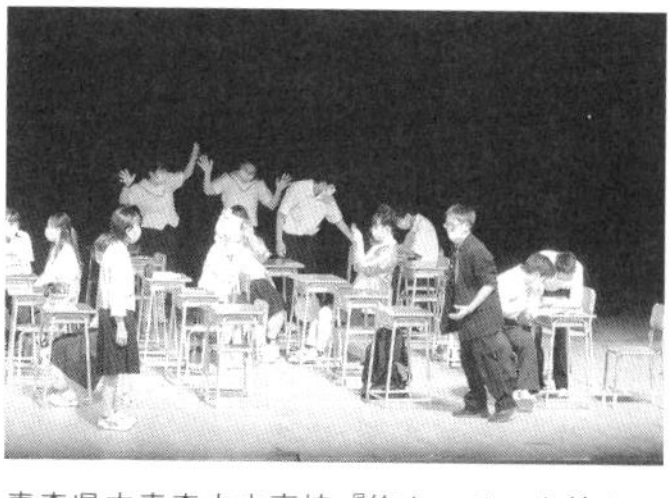

青森県立青森中央高校『俺とマリコと終わらない昼休み』提供：全国高等学校演劇協議会
撮影：中村忠夫

広島市立広島商業高校『ねがいましては』（作：黒瀬貴之　顧問創作　二〇二〇年初演）

コロナ高校演劇ではもうお約束（！）の「文化祭中止」から劇は始まる。演劇はできないのか？　できないなんて嫌だ。もう、勝手にやる！　劇中劇に突入。自分の高校の歴史をひもとく、その劇の中で、戦時中の学徒動員で「商業」の勉強は不要と宣告されるという史実が演じられる。造船工業学校に変更という国策。商業の勉強はもうできないのか？　原爆投下。いっしょに生きたかった友と、いっしょに生きていくことはもうできないのか？

今、新型コロナのために演劇ができない演劇部員たちが、戦時中の先輩たちの気持ちに寄り添う。今、隣にいる友と手を取り合うことのできない高校生が、時代を超えて重なる。作品のフィナーレでは、市商音頭Remixに合わせて、浴衣姿の部員たちが駆け回り、踊る。そして、抑えきれないエネルギーを放ちながら願いを叫ぶのだ。「ねがいましては」「焼き肉食べ放題！」「ねがいましては」「検定合格！」「ねがいましては」「核兵器断絶！」「世界平和！」「ねがいましては」「ずっと仲間！」「私の居場所」「ねがいましては」「演劇したーい！」「ねがいまして、わーーーーーっ！」

私は客席でボロボロ泣いていた。あまりにもプリミティブな、あまりにも率直な、その「演劇したーい！」という叫びに涙が止まらなかった。

広島市立広島商業高校『ねがいましては』提供：同校演劇部

紹介したいコロナ高校演劇作品はまだまだあるが、ひとまず筆を置こう。ねがいましては、新型コロナをテーマにしたお芝居なんて、一刻も早く時代遅れになる日が来ますように。

（二〇二三年一月三一日）

協力・監修　全国高等学校演劇協議会

一般社団法人日本劇作家協会高校演劇委員会ワーキンググループ

〔文学・論壇〕

コロナとテレビドラマ、その関係をめぐる二年半

斎藤美奈子

斎藤美奈子（サイトウ・ミナコ）

一九五六年、新潟市生まれ。文芸評論家。一九九四年、『妊娠小説』（ちくま文庫）でデビュー。二〇〇二年、『文章読本さん江』（ちくま文庫）で第一回小林秀雄賞受賞。他の著書に『名作うしろ読み』『吾輩はライ麦畑の青い鳥』（以上、中公文庫）、『戦下のレシピ』（岩波現代文庫）、『学校が教えないほんとうの政治の話』（ちくまプリマー新書）、『文庫解説ワンダーランド』『日本の同時代小説』（以上、岩波新書）、『中古典のすすめ』（紀伊國屋書店）、『忖度しません』（筑摩書房）など多数。

新型コロナウイルス感染症（以下、コロナ）が世界を席巻して四年目に入った。
二〇二三年一月末現在、第八波のピークは越えたように見えるが、死者数は過去最多を更新し続け、一月一三日日には全国で一日五二三人に達した。
〈厚生労働省のオープンデータを見ると、統計を取り始めた2020年5月9日から2022年1月21日までの約2年10カ月の間に新型コロナに感染して亡くなった人は6万4430人〉。特に第八波に入って急増しており、〈去年（2022年）12月1日から今年（23年）1月21日までの1カ月にも満たない期間で1万5399人に上る。累計死亡者のおよそ4人に1人がこの第8波で亡くなっているとみられる〉（東洋経済オンライン／二〇二三年一月二四日）
右のような記事を読むと、死者の大多数は基礎疾患のある高齢者（だから平気？）と聞かされても、単純に「もはやコロナ、恐るるに足らず」とはいえないような気もするのだが……。

コロナ禍でのドラマ制作

以上はしかし、現状を忘れないための単なる前置き。『定点観測 新型コロナウイルスと私たちの社会』シリーズも第六弾で一段落とのことなので、これまでにふれてこなかった、文学に隣接するジャンルを少しだけ見ておきたい。コロナ下のテレビドラマだ。

思い返せば、二〇二〇年四月七日に最初の緊急事態宣言が発出されて以降、映画もテレビドラマも軒並み撮影自粛を余儀なくされたのであった。五月二五日の宣言解除後、徐々に撮影は再開されたものの、NHKの大河ドラマ（「麒麟が来る」）も、連続テレビ小説（「エール」）もストックが尽き、六月には放送の中断を強いられた。

撮影再開後も、NHKや民放連などの感染防止対策を見ると、マスク着用、手洗い、消毒、換気などはいうにおよばず、(実行可能かどうかはともかく)相当厳しいガイドラインが示されている。最少人数での制作(密集防止)、最短時間での撮影(密閉防止)、二メートルのソーシャルディスタンスの確保(密接防止)などなど。

制作現場がそうである一方、視聴者側に目をやると、ステイホームを要求された自粛期間中に、サブスクリプションの動画配信サービスで映画やドラマを視聴するという習慣がすっかり定着した感がある。Netflix配信の韓国ドラマ「愛の不時着」の空前のヒットはその象徴だろう。韓国ドラマは一話が七〇分〜九〇分と長い上、一六話とか二〇話とかで構成されていて、「これにハマったら人生を踏み誤る」という危険性さえ感じさせるが、にもかかわらず私の周囲にも「愛の不時着」を通しで五回見たとか七回見たとかいう強者が何人もいた。

リモートドラマという実験劇場

ここで言及したいのはしかし、「愛の不時着」ではなく、国産の、それもコロナ下で制作された、あるいはコロナ禍そのものを描いた作品である。

といえば、まず特筆すべきは「リモートドラマ」だろう。通常通りの撮影ができないという制約を逆手にとり、リモートだけで制作された作品である。

YouTubeでは四月から、演劇人や映画人によるリモート制作の作品がすでに公開されていたという話も聞いたが、テレビ局が制作にからんだリモートドラマのほとんどは「コロナ元年」である二〇二〇年五〜七月の放送。現在も視聴できる作品はさほど多くないものの、予想以上に多様なドラマが制作されていたことに驚かされる。

わかりやすいのは「宇宙同窓会」（日本テレビ制作・YouTube配信／二〇年六月）である。前後編二話で構成されており、一話二〇分弱。コロナ禍で中止になってしまった中学校の同窓会をリモートで開くことになり、一〇年ぶりに天文部の四人（途中から五人）がオンラインで集合する、という趣向。よって四分割された画面でドラマは進む。参加者のうちの二人がかつて付き合っていたとバレたり、エリート気取りで参加していたメンバーがじつはホームレスだとわかったり、徐々に明らかになる事実と本音。

すべて会話劇だけで進行するため、たるいところはあるにせよ、宇宙飛行士になった女子が宇宙から参加するという意表をつく結末まで、うまくまとめた印象である。背景の選択に性格が表れるなど、視聴者にリモート会議経験者が増えたからこそ成立したドラマともいえる。

意外に豪華なリモートドラマ

他のリモートドラマも、ほぼこのバリエーションである。

外出自粛中のカップルが会話するショートラブストーリー「リモートな恋」（TikTok／二〇年六月）は主演の志尊淳と水原希子が自宅から私服で出演して話題になり、「ソーシャルディスタンスドラマ」を謳う「世界は3で出来ている」（フジテレビ／二〇年六月）は主役の林遣都が一卵性の三つ子をひとり三役で演じた。町の印鑑店の社員たちがリモート飲み会を開く「とどけ！愛のうた」（Paravi／二〇年七月）はミュージカル仕立てである。

さらにコロナ下ならではは試みとしては、坂元裕二脚本の「Living」（NHK／二〇年五〜六月）があげられよう。全四話で構成された作品には、各回ごとに、広瀬アリス×広瀬すず、永山瑛太×永山絢斗、中尾明慶×仲里依紗、青木崇高×優香という、リアル兄弟姉妹・リアル夫婦がリモートで登場する。通常ならあり得ないキャスティングである。

NHKは「今だから、新作ドラマ作ってみました」という三話のテレワークドラマ（制作過程のすべてをリモートで行う）を、緊急事態宣言下の五月にすでに放送しており、コロナ下のドラマ制作には、当初から積極的な姿勢を見せていた。

「Living」の後にも、ブラックな笑いをちりばめた近未来ドラマ「JOKE〜2022パニック配信」（宮藤官九郎脚本／二〇年八月）や、コロナに夏を奪われた高校生を甘酸っぱく描いたショートドラマ「これっきりサマー」（木皿泉脚本／NHK大阪限定／二〇年八月）など、NHKは人気脚本家を擁した作品を次々に制作している。出演者を含め豪華な布陣である。

とはいうものの、これらにどんな意味があったのか、という評価はなかなか難しい。

依拠するところはただ一点

ひとついえるのは、リモートドラマはやはり緊急事態宣言下で応急措置的に制作された、対処療法的ドラマだったということだろう。幾多の制約の中で自分たちには何ができるか、エンターテイメント業界のプロたちが知恵を絞った、その結果がリモートドラマであり、低コストのドラマ制作のモデルケースとしても有用な点があったかもしれない。

しかし、それはそれ、である。

リモートドラマの最大の弱点は、「家から出られない」、その一点に依拠したドラマだったことである。時期の問題も大きかったとはいえ、医療現場、エッセンシャルワーク、自粛を余儀なくされた飲食店など、コロナ禍のコアな部分には踏み込めない。ゆえに緊急事態が明けて通常モードに戻れば、応急措置の必要性は急速に薄れる。

NHKが制作した実験的な番組として記憶されるのは、又吉直樹の脚本による「不要不急の銀河」（二〇年七月）だろう。舞台を二〇年五月上旬に設定。営業を続けるか否かで揺れる「スナック銀河」の主人と、その家族の騒動を描いた一話完結の物語である。

注目すべきは、この作品がドラマとドキュメンタリーをドッキングさせている点で、番組の前半はメイキング映像だ。出演者たちのオンラインでの台本の読みあわせ、医師の助言、ドラマほど三密の現場はないのだと悩むディレクター。

ドラマとしておもしろいのか、と問われると微妙だけれど、試行錯誤の過程を見せた点では表層を繕ったリモートドラマ以上の臨場感があり、記録的な価値は高い。

ドラマだけではなく、小説家を含めたこの時期のクリエイターは、同時代を描くに際し、コロナ禍を取り込むか否かで悩んでいたように思われる。小説は「時はコロナ禍、みんなマスク姿で歩いていた」の一言ですむとしても、映像作品はそうはいかない。

コロナ離れしたテレビドラマ

二一年初頭までのドラマは、それでもコロナ禍を意識した演出が目だった。

波瑠主演の「#リモラブ～普通の恋は邪道～」(日本テレビ系／二〇年一〇～一二月)は、産業医を主人公にソーシャルディスタンス下の恋愛模様を描いたラブコメだったし、長瀬智也主演の「俺の家の話」(TBS系／二一年一～三月)では登場人物が外出時にマスクを着け、有村架純主演の「姉ちゃんの恋人」(関西テレビ制作／二〇年一〇～一二月)でもコロナ禍を連想させるエピソードが会話に登場する。

が、結論的にいうと、右のような演出は長続きせず、テレビドラマは原則「コロナはなかったことにする」方向で落ち着いたように思われる。パンデミックがいつ終わるとも知れない状況の下では、撮影現場の感染対策はともかく、「いちいちコロナなんかに付き合ってはいられない」という判断が働いたのかもしれない。

二一年八月に「コロナ禍を反映したドラマが激減」という記事が配信されている。

二〇二〇年には〈この危機を乗り越えるために、皆が辛いことを共有し、お互いに励まし合おうという思いが先行していた。そういった思いを受けて昨年に企画・撮影されたドラマが今年初めに公開されていたのだ〉。〈しかし、この1年で視聴者は〝コロナ慣れ〟してしまった。感染対策は当たり前になり、活動の自粛は恒常化。そんな中で、視聴者がドラマに求めるものは、コロナを意識させた「頑張ろう」のメッセージではなく、現実を忘れさせてくれるフィクションが多くなってきた〉(「ORICON NEWS」二一年八月一四日)

記事の中には「コロナ設定がノイズになってる」「せめてエンタメの世界だけはヒリヒリする世の中のこと忘れたい」といった声も紹介されている。

自粛期間中に「愛の不時着」がヒットしたのと共通した心理だろう。実際、二〇年七月期最大のヒット作は「半澤直樹」（TBS系）だったのだ。

デカメロン現象が去ったその後で

『定点観察』シリーズでこれまで見てきた文学・論壇・言論界の動向を見ても、あるいは私個人の関心の方向を振り返っても、ドラマと同じような変転が見てとれる。

二〇年上半期、緊急事態宣言下でアルベール・カミュ『ペスト』、ダニエル・デフォー『ペストの記憶』ほか、既存のパンデミック本にみんなが群がったのは、今思えば応急措置的読書だったし、リモートドラマも「デカメロン現象」だったのだと思い至る。ボッカチオ『デカメロン』は、ペストのパンデミックから逃れて郊外の家に自主隔離した人々が順番に作り話をし続けるという設定の下で生まれた文学だ。「家から出られない」という一点に依拠して制作されたドラマも、現象としてはデカメロンにきわめて近い。

だがそれは、それまでの人生で経験したことのない非日常な時間、誤解をおそれずにいえば「祝祭的」な高揚感がもたらした現象だったように思われる。

その証拠に、二〇年も後半になると、安倍晋三から菅義偉への首相交代劇などもあって、コロナへの関心は急速に薄れ、右派論壇が「武漢ウイルス」攻撃で多少活気づいたのを除けば、

「もうコロナはいいや」な気分が支配的になった。二一年は東京オリンピック・パラリンピックをめぐる騒動などもあり、慌ただしくすぎていった印象が強い。

とはいえ、書籍の世界に関していえば、医療現場を追った医療関係者らによる迫真のノンフィクションや、緊急事態宣言下での生活をじっくり描いた長編小説など、コロナ禍の核心に迫った秀作が続々と登場するのは二一年の、それも主に後半からである。

スローメディアである書籍は、どうしても流行には一歩出遅れる。ものごとの本質を見極め、作品の形にするには、やはり一定の時間が必要なのだ。

コロナ禍を描いた大阪発の秀作ドラマ

テレビドラマも同じである。秀作と呼べるコロナ禍ドラマが登場したのはコロナの発生から数えて二年半後、二二年の夏だった。NHK「夜ドラ」枠で放送された櫻井剛の脚本による「あなたのブツが、ここに」（NHK大阪放送局制作／二二年八月〜九月）である。

一話一五分で、全二〇話。物語の舞台は二〇年秋の兵庫県尼崎市だ。

主人公の山崎亜子（仁村紗和）は二九歳。大阪のキャバクラで働きながら、小学五年生になる娘の咲妃《さき》（毎田暖乃）を育てるシングルマザーである。

二〇年一〇月、緊急事態宣言が明けても店に客は戻らず、亜子はピンチだ。とうとう貯金も底をつき、そのうえ給付金詐欺にあって、無一文になってしまった。やむなく娘と二人、尼崎の商店街でお好み焼き店を営む母の美里（キムラ緑子）の元に転がり込んだ。新しいバイトもはじめ、昼は宅配ドライバー、夜はキャバクラ、ダブルワークで働きはじめた。が、一日三〇個という宅配のノルマはこなせず、ついにキャバクラも休業し……。

コロナ禍の直撃を受けた「夜の街」と、巣ごもり需要で殺人的な忙しさを余儀なくされた宅配業。このドラマが秀逸なのは、コロナの影響を直接的に被った両極端な二つの業界を描くことで、世間にあまねく広がる「排除の論理」をあぶり出した点だ。

宅配先の玄関で、亜子は「シッシッ」と追い払われる。荷物をそこに置いてさっさと去れ、という合図である。ＰＣＲ検査はしているのかと客は問う。「あっちこっちの家、行ってるんやろ。どこでコロナになってるか、わからへんやないの」

一方、娘の咲妃は、転校先の学校で「ノーコー接触」「ノーコー接触」とからかわれ、除菌スプレーを吹きかけられるなどのいじめを受けていた。担任に呼び出された亜子は、思わぬことを告げられる。「お母さん、夜のお仕事してらっしゃいますよね。そのことで父兄から問い合わせがあったんです。コロナは大丈夫かって」

「コロナ」がここでは、差別や偏見を正当化する理由に使われている。「コロナは大丈夫か」と問われたら、彼女には反論する術がないのだ。

母が営むお好み焼き屋とて、安泰ではない。営業は続けていたものの、売上げはコロナ前の八割減。「このまま続けとったら間違いなく店は潰れる」とこぼしつつ、母はいう。「一旦休んだらな、もう立ち上がれへんような気がするんよ」

日本のコロナ対策は失敗だった

「世界」二〇二三年二月号が「コロナは日本をどう変えた?」と題する特集を組んでいる。

東大大学院法学政治学研究科教授で、内科医でもある米村滋人は、日本のコロナ対策を俯瞰して〈政府の対策、特に二〇二一年以降の対策は明らかに失敗だった〉と述べている(「なぜ日本のコロナ対策は失敗を続けるのか」)。

〈欧米各国は二〇二〇年に大量の感染者・死者を出したものの、その後は比較的抑え込みに成功している〉。〈一方で、日本と韓国は二〇二〇年こそ比較的感染者数・死者数を抑えられたものの、その後感染状況の急速な悪化が生じ、二〇二二年もさらに状況が悪化している。これは、両国では二〇二一年、二〇二二年に適切な感染症対策への移行ができず、むしろ制限緩和を加速させたために大幅な感染症者数・死者数を招いたためであると推察される〉

〈問題は、従来の日本の感染症対策は、緊急事態宣言と人流抑制などのマクロ対策に大幅に依存しており、ミクロ対策はなおざりにされてきたという点である。人流抑制策は大きな社会経済的損失を伴うことから数ヶ月程度で一旦終了するのが通常であり、持続的な対策とはなりにくいことに加え、人流を抑制したとしても、出勤・通学など不可欠な移動に伴う接触は規制できず、減少させられる接触機会は一部にとどまる〉

こうした対策の失敗の犠牲者が、三年で六万五〇〇〇人を越す死者であり、あるいは山崎亜子のようなケースであったといえるかもしれない。

ここまでの段階で、コロナ禍を描いた「よかった文学作品」を三冊あげておきたい。

まず、金原ひとみ『アンソーシャルディスタンス』（二一年五月刊）。表題作は緊急事態宣言で推しのバンドの公演が中止になり、半ば自暴自棄になった若い男女の「濃厚接触」を描いた短編である。行動制限に抗う二人は二〇年春の気分を強烈に体現していた。

ちなみに、これに類するドラマは、先にもあげた木皿泉脚本の「これっきりサマー」（これもNHK大阪放送局だ）だろう。五話連続。すべて足してもわずか一二分というショートドラマながら、地方大会で優勝するも甲子園に行けなくなったエースピッチャーと、夏フェスが中止になって落胆するロック少女、二人の高校生の束の間の交流を描いた佳編だった。

あとの二冊は、木村紅美『あなたに安全な人』（二一年一〇月刊）と、絲山秋子『まっとうな人生』（二二年五月刊）。前者は岩手、後者は富山を舞台に、コロナ禍によってあぶり出された「排除の論理」を前者は不気味に、後者はややコミカルに描き出している。「あなたのブツが、ここに」にも通底する内容の物語といえるだろう。

新型コロナウイルスは、社会はもちろん人の心に巣食う、さまざまな矛盾や弱さを暴き出した。しかしながら、ここにいたってまだ、コロナは収束していないのである。

（二〇二三年二月二日）

［ネット社会］

感染を抱きしめて

コロナ禍の死を受け入れ始めた世界で

CDB

ＣＤＢと申します。

Twitterを中心に好きな映画や人物について書いています。著書に『線上に架ける橋〜ＣＤＢのオンライン芸能時評 ２０１９‐２０２１』（論創社）があります。

映画ブログ　https://www.cinema2d.net
note　https://note.com/774notes
Twitter　https://twitter.com/c4dlbeginner

ゴトン、と重いものが床に落ちるような音がして振り向くと、数分前まで談笑していた同僚が椅子から転げ落ちて職場の床に倒れていた。驚いて駆け寄ると、起こした同僚は意識がなく白目をむいている。てんかん、あるいは脳梗塞、という病名が頭をよぎりつつ、騒然となる職場で救急車を呼んでもらうように上司に願う。まだ二〇代なのに……。

駆けつけた救急車の中でも同僚の意識は戻らなかった。財布や携帯の情報で救急隊員に事情を説明し、家族に連絡をする。救急隊員が病院に連絡を取るが、受け入れ先がなかなか決まらない。「コロナ対応で病床が圧迫されていまして」予想された言葉が救急隊員から帰ってくる。そうだろうな、とニュースで見た感染状況を思い出す。

さんざん時間がかかった末についた病院で、検査中に同僚は意識を取り戻した。心配していた脳梗塞でもないし、てんかんの発作でもなく、原因はすぐにはわからないと言われ、僕は職場に戻る。ひとまず命に別状がなかったことに安心して、その翌日に出勤すると上司から呼び出された。検査の結果、どこにも異常はなかったが、同僚がPCR検査で新型コロナウイルス陽性と判定された。同僚本人は軽症ではあるが、助け起こして一緒に救急車で病院に行った僕も濃厚接触者にあたるため、数日は出勤を控えてほしいと。そういうふうにして新型コロナは僕の職場で広がり始めた。二〇二二年の秋のことだ。

忍び寄るコロナ感染

正確に言えば、もっと以前から同じビルに入居する別の会社、そして会社の別部署でといったかたちで、じわじわと感染者が出た話は近づいてきていた。人の出入りの多い職場でこれまで感染者が出なかったことが不思議、よく持ちこたえてきたと言えるかもしれない。だがいったん同じ職場で広がり始めると、一人また一人というように感染は次々と同僚の間で広がり始めた。

全体的には無症状であるか、軽症の人が多かったように思う。高齢の社員が感染した時は心配になったが、必ずしも高齢だから重症化するというわけでもないようだった。

ワクチンへの対応も職場の中で分かれていた。打つ人は三回四回と打っていたが、ネットの情報を見て不安になり、本当は自分は一度も打っていない、とこっそり打ち明ける人も少なくなかった。だからと言って職場の中でワクチン派と反ワクチン派が対立して反目する、あるいは会社から何か注意があるということもなく、まあそれは人それぞれだから、と言う感じで打つ人打たない人が混在していた。ネットでは激しく論争が展開していたし、職場のワクチン見送り派もある意味ではネットの影響を受けて見送っているのだが、ワクチンが職場のおつきあいを変えるほど重大なこととは思われていない。

そんなものだ。広がり始めたオミクロン株の感染力は強く、ワクチン派もワクチン見送り派も感染していった。感染するかどうか、症状が重いか軽いかには、それほどわかりやすくワクチン接種との因果関係が見られるわけではない。それは大きな数の中で統計として現れるもので、一人ひとりの個人的な運命とはまた別なのだ。

ＰＣＲ検査で陽性に

ついに僕自身も陽性判定を受けることになったのは、職場でもかなり感染者が出たあとだった。あまりにも周囲に感染者が増えたことで不安になり、横浜や川崎にある民間ＰＣＲ検査を受けた。抗原検査とＰＣＲ検査の二つを選択して受けたのだが、抗原検査は陰性となり、気のせいだったかとホッとしていると、その翌日にＰＣＲ検査の結果が届き、抗原検査とは真逆の陽性判定を受けた。

僕の個人的な体験でも、あるいは周囲の人の話を聞いても、非常によく聞くのがこの「抗原検査とＰＣＲ検査の結果が違う」という声である。とりわけ抗原検査では陰性、ＰＣＲ検査では陽性というケースが多く、僕自身も今回身をもってそれを体験したわけだ。

薬局に置いてある抗原検査キット、あれはまったく当てにならない。陽性判定を病院で受けて熱と咳で療養中の患者が試しにやってみても陰性と判定され、まったく検出できない。そんな話をネットでも身近でもよく聞き、今回自分自身でもそれを確認した。だが思い返せば、抗原検査というのは東京五輪はじめ多くのイベントや企業で感染チェックとして使われてきた手法であり、それがここまでザルだというのはなかなかまずいことなのではないだろうか。

僕自身、職場からのアナウンスとしては「熱が出た場合には薬局で抗原検査キットを買って自己検査、陰性なら出社してよい（自費検査なのはひどい話だと思う）」と言われていたわけであり、もしも仮に民間検査所で抗原とＰＣＲの両方ではなく、抗原検査だけやっていた場合には「なんだ陰性だったのか」と安心して出社していたはずだ。そうなれば感染はますます広がる、というか僕以外の社員でわざわざ民間のPCR検査を自費でおこなう社員など稀で、たいがい抗原検査、あるいは冒頭で書いた同僚のように、感染していても体調不良を感じつつ出社している。感染が広がっていくのはまあ、当たり前と言える。

思った以上につらい症状

ともかく陽性判定を受けてしばらくは自宅隔離となることを職場に連絡し、まあ僕もほかの多くの社員と同じように無症状か軽症ですむのかな、と思っていたのはわずかなあいだだった。コホン、と出た咳がたちまちゴホゴホと連続するようになり、やがて喉が激しい痛みと共に腫れ上がって体温計の熱がどんどん上がり始めた。恐ろしいほどの寒気、四三度で沸かした風呂の湯船に肩まで浸かっていてもガタガタと震えるような寒気が襲い、布団を何重にも包んで寝ることになった。

この『定点観測 新型コロナウイルスと私たちの社会』というシリーズが始まった最初のほうで書いた記憶があるのだけど、僕はこの症状を二〇二〇年の年初にも経験している。まだ日本では新型コロナ感染者が一人も感染されておらず、「中国の武漢で何か新しい感染症が出ているらしい」という報道がされていたころだ。医者に行っても、当時は新型コロナ向けのPCR検査の用意などなく、インフルエンザの判定は陰性だから安静にしていなさい、としか言われなかった。でも今回、晴れて新型コロナ陽性判定を受けて体験するのは、二〇二〇年はじめに体験したあの症状とそっくりな猛烈な寒気だった。

今回の症状で、二〇二〇年よりも激しかったのは喉の痛みだ。ネットなどの感染体験記で、喉が腫れて何も食べられなくなったという話をよく聞いていた。まさにその通りで、食べ物どころか水を飲むのもひと苦労、トマトを食べるとわずかな塩分が炎症を起こした喉に染みてのたうち回るほど痛いというひどい炎症が続いた。

驚いたのは、喉が腫れ上がると鼻がかめなくなることである。何を言っているのかわからないかもしれないし、僕も体験して初めて人体の神秘を知ったのだが、鼻をかむときに人は吐く息が鼻から出るように、喉に向かった気道を閉じているのだ。喉が腫れ上がるとそれができなくなり、息を鼻から抜くときに口からも息が漏れてゴホゴホと咳き込み、鼻がかめなくなる。インフルエンザも風邪も体験してきたが、これは初めての経験だった。

食べられない飲めない、というのは我慢するにしても、恐怖を感じたのは、喉の腫れが気道を塞いで窒息してしまうことがある、という新型コロナ療養の注意の記憶だった。それはよほどの重症だろう、と健康なときは思っていたのだが、いざ自分が激しい喉の腫れと痛みを体験すると、気道が塞がって死ぬという話の記憶が生々しいリアリティを持って脳裏に甦ってくる。

神奈川県は新型コロナ患者をどうフォローしているのか

神奈川県でもそれなりに新型コロナ患者へのフォローはしているのだろう。でも、そのシステムは医療機関の発熱外来で陽性判定を受けた患者向けに作られている。僕のように民間検査で陽性判定を受けてから症状が重くなった患者はそのシステムから外れてしまう、というのが身をもって経験したことだ。

感染する前、僕は民間検査で陽性判定を受けた場合には、専門の医療機関が紹介され、正式に医師の診断を受けて今後の療養についてレクチャーを受けるものだと思っていた。実際はそうではない。民間検査で陽性判定を受けると、新型コロナ専門の発熱外来も含めてどこの病院でも直接診断はしてくれなくなる。病院は溢れるほどの患者でパンクしているのだから、すでに陽性と判定された人はわざわざ病院に来なくてもいい、家で安静にしていてください、というのが神奈川県のスタンスだ（少なくとも僕が発症中に調べた範囲ではそうとしか思えなかった）。

その代わりに新型コロナ患者登録サイトというものが用意されており、そこに登録すれば救急ダイヤルや食糧支援などのケアが受けられると書いてあるのだが、これがまた医療機関で陽性判定を受けた患者向けに作られており、何度登録してもエラーメールが返ってくる。直接に質問できる電話番号はわかりにくく、かけたところでアルバイトで雇われたオペレーターが「とにかく登録しないとケアができないので登録してください、なぜエラーが出るかはわからないので、エラーが出ないように登録してください」の一点張りである。この押し問答を、三九度の熱が出て、腫れ上がってまともに声の出ない喉と、酸素濃度が低下した頭でやらなくてはならないのだ。

迷宮のような新型コロナ患者登録サイト

言ってはなんだが、僕はウェブ上がりのライターであり、はてなブログの登録運営から自分の著書の表紙をコンピュータグラフィックスで作るところまでやれる程度にはデジタル慣れしている人間である。その僕が何度やっても登録に失敗するような患者登録サイトに、七〇歳八〇歳の高齢者たちが子どもや孫の手を借りずに登録することができるとは思えなかった。それはひたすら「県側」の負担を軽くするためだけに設計されたシステムであり、そこからこぼれてしまった人間をフォローするシステムは、どこにもないように思えた。少なくとも三九度の熱と酸素濃度が低下した僕の頭では、まるで見つけることができなかった。

結局、僕は力尽き、神奈川県の陽性者登録サイトへの登録をあきらめ（矛盾したバカバカしい話だが、元気になってから登録しようと思った）、布団にくるまって体力の回復を待つしかなかった。症状がもっとも重かった発症後の二四時間から四八時間のあいだ、僕は満足に食事も取れず、冷蔵庫にあったジュースを飲んで眠り続けた。まるで溺れる水難者がときどき水面から顔を出すように目を覚まし、また沈むように眠りに落ちることを繰り返した。なんとか自力で回復したからいいようなものの、もしも僕がもっと高齢で既往症を抱え、あのまま悪化して声が出なくなる、あるいは意識や体力が低下して救急車が呼ばなくなれば、そのまま危険な状態になだれ込んでいたと思う。これが僕の新型コロナ体験記である。

快復しても体力は戻らない

少し症状が改善すると、ネットでオンライン医療に対応してくれる医療機関を調べることができるようになった。繰り返しになるけど、それができたのは僕にある程度のネット知識があり、しかも状態が回復したからである。発熱が最大で、布団の中にいても震えがきているときには、そんな意識を集中して携帯端末で調べものをする余裕はなかった。というか「ネットでオンライン診療を調べてみよう」などと思いつくことすらなかった。高齢者ならさらにお手上げだったと思う。

オンライン診療というのは電話で症状を聞き、処方箋を書いて薬局と連携し、宅配で痛み止めや解熱剤などを届けてくれるシステムだ。状態がある程度回復してからたどり着けたシステムとはいえ、これらがすべて無料であったことは非常に助かった。日本の医療のよい面だと思う。だが今政府がアナウンスしているように、新型コロナの指定が五類へと引き下げられれば、こうしたものもやがて有料になってしまうのかもしれない。

ほとんど一週間ぶりくらいに外出できるほど回復し、食料などを買いに外を歩くと、自分が驚くほどゆっくりとしか歩けなくなっているのを感じた。まるで無重力から帰還した宇宙飛行士のように、足が重力に耐えられないのだ。わずかな期間に体力がそこまで落ちてしまったのかと愕然とした。

『定点観測』シリーズで書いてきたように僕はワクチンも人並みに打ってきたし、既往症もなく年齢も職場の平均よりは下だが、一度もワクチンを打っていなかったり、僕よりずっと高齢の人たちが感染しても僕より軽症なのは不思議だった。あくまでそれは統計的なもので個別のケースとは違う、というのを身をもって思い知らされた気分だった。

周囲で新型コロナ感染後によく聞くのは、心臓の異常が増えたという声だ。新型コロナは軽症だったが、そのあとで心房細動が起きて医者通いになった、心臓に不整脈が出た、という声をよく聞く。亡くなった漫画家の山本夜羽音《よはね》先生も、コロナ患者として入院し、いったん回復して退院したあとに心臓発作で亡くなっている。どうもこのウイルスは心臓に負担をかけるようだ。

暗い予測をされた時代もあったね、と笑い飛ばせる未来

この感染体験は昨年のことである。これを書いている二〇二三年一月、日本は過去最大、そして海外と比較しても最大級の感染と死者の拡大に見舞われている。二〇二二年一二月の新型コロナ死者数は七四三二人。交通事故で人が何千人死んでも車はなくならないじゃないか、というシニカルな現状維持のフレーズがネットで流行るが、昨年の交通事故死者は一年間で二六一〇人である。このペースで死者が続く、あるいは増加していけば、二〇二三年の死者はどこまで積み上がるかわからない。

だが新型コロナ初期に、わずかな感染者、最初の一人の感染者、先週からの増加率であれほど騒いだことが幻であるかのように、「一カ月に七四三二人の死者」という事実を社会は当たり前のように受け流している。もちろん救急医療現場は完全にパンク状態にあり、医療関係者からの悲鳴が書き込まれてはいる。でもそれは、死者が今の一〇〇分の一だった過去の感染増加期ように、切迫感をもってシェアされなくなってしまった。「以前よりはるかに深刻な事態が進み、声は上げているのにだんだんシェアされなくなっていく」というのは、医療関係者に

とって社会から見捨てられるような恐怖だろう。でも社会は、一カ月に数千人が死ぬことが当たり前の社会にハンドルを切りつつある。

この『定点観測』シリーズが始まったときに比べて、世界は大きく変わってしまった。新型コロナが最初に武漢で流行し、ゼロコロナ政策を進めていた中国は大きく政策を転換し、その反動で爆発的な感染が起きている、にもかかわらず正確な感染者数は発表されていない、という報道が続く。そして欧米は急激に中国との対立を深めている。

二〇二〇年より以前には、なんだかんだと言っても中国も欧米を経済を優先して上手くやるさ、と思われていた楽観的な見方は吹き飛び、ロシアがウクライナに侵攻したように、破滅的で世界的な衝突が数年以内に起きる、という予測がどんどん強くなっていく。

僕の職場の人たちはまったく政治的な人たちではないが、それでも中国脅威論はまったくためらわずに口にするようになった。それがこの三年間のもっとも大きな変化だ。

この原稿を書いた後、コロナ禍が始まったころに貸し出された「緊急小口資金の特例貸付の償還開始のお知らせ」がポストに入っていた。収入減少者のために二〇万円を貸し出し、コロナ禍が続いたために返済が延期になっていたあの貸付の返済がついに始まったのだ。まるでコロナ禍が終わり、経済が戻ってきたかのように。でもそうではない。物価が上がり、でも賃金は上がらず、そして遠からずコロナ診療も五類となって有料となる社会の中で、僕たちはこの失われた期間の負債を返していかなくてはならないわけだ。
『定点観測』シリーズは今回で一区切りとのことだけど、僕が見てきた職場やＳＮＳでの風景を、なるべくそのまま記録しておく場所が与えられたことに感謝したい。あとはこれを読む未来の人たちが、そんな暗い予測をされた時代もあったね、と笑い飛ばせる未来になっていることを望んでひとまずの筆を置く。

（二〇二三年一月一〇日）

［日本社会］

コロナ予防の三年間

辛酸なめ子

辛酸なめ子（シンサン・ナメコ）

一九七四年、東京都生まれ、埼玉県育ち。漫画家、コラムニスト。武蔵野美術大学短期大学部デザイン科グラフィックデザイン専攻卒業。大学在学中から執筆・創作活動をスタート。人間関係、恋愛からアイドル観察、皇室、海外セレブまで幅広く執筆。著書に『辛酸なめ子の世界恋愛文学全集』（祥伝社文庫）、『スピリチュアル系のトリセツ』（平凡社）、『愛すべき音大生の生態』（ＰＨＰ研究所）、『女子校礼賛』（中公新書ラクレ）、『無心セラピー』（双葉社）、『電車のおじさん』（小学館）、『新・人間関係のルール』（光文社新書）、『辛酸なめ子の独断！流行大全』（中公新書ラクレ）、『辛酸なめ子、スピ旅に出る』（産業編集センター）ほか多数。

二〇二〇年から二〇二三年まで、新型コロナウイルスの予防のために得た情報や、マスク・手洗い以外でやってきたことなどをまとめてみたいと思います。何かの参考になりましたら幸いです。

人から教えられた健康法

「新型コロナウイルスは二六〜二七度のお湯を飲めば予防できる」

コロナのパンデミックがはじまってすぐにチェーンメールのような形で知人から回ってきた情報です。お湯が二六度？と違和感がありましたが当時は不安にかられていたので信じてしまいそうでした。それから三年経って、中国では「桃の缶詰がコロナに効く」という情報が出回って売り切れているというニュースを見て、デジャヴュ感がありました。不安な時ほど信憑性が低い情報に振り回されてしまいます。できるだけ平穏な心の状態で、情報を精査したいです。

新型コロナウイルスが流行しはじめた頃、スピリチュアルに造詣が深い会社社長の知人からは、エドガー・ケイシー由来の健康法を教えてもらいました。エドガー・ケイシーはかつてアメリカで予言や健康療法で有名になったお方。

エドガー・ケイシー流「アップルブランデーの蒸気吸引」が、抗ウイルスになるという情報を教えていただいたのですが……。アップルブランデーを用意するところまではいいとして、プラスチックに穴を開けて備長炭《びんちょうたん》とアップルブランデーを入れて、容器の注ぎ口から蒸気を吸引する、という方法で、手間がかかりすぎるので断念。もっと手軽なコロナ予防策を探すことにしました。

ヒマラヤ聖者の免疫力に学ぶ

二〇二〇年はインドでも高名なヨガと瞑想の先生、ヨグマタ相川圭子さんの「ヒマラヤ大聖者の免疫力」という本を読んだり、YouTube の動画を見たりしてなんとか不安を軽減させていました。

すべてを超えた純粋な存在は、悪いものを寄せ付けない」と本に書かれていましたが、自分の心が不純でそこまでの域に達せません。

この本に書かれていたコロナ予防の方法は、防虫効果や抗菌効力がある樟脳《しょうのう》の匂い袋などを持ち歩く、ということと、湯気で喉を潤す方法。お湯を容器に入れて、頭からバスタオルをかぶって口を開けて湯気を受け止めます。熱や水分は細菌やウイルスが入るのを防ぐそうです。最初の頃は、この方法を参考にさせていただいて実施していました。なかなか習慣化するのは難しいですが……。

神頼み

コロナ禍になってわりとすぐに、静岡県の下田に行き、了仙寺《りょうせんじ》というお寺にお参りしました。ペリーが開国を迫った時に会議がおこなわれたお寺です。開国といえばペリーなので、日本が鎖国状態になっていることを心の中で報告。お寺で写真を撮影したら、不思議な光が写りこんでいました。今は大変な時でも、その先には光があるというメッセージを受け取った気がしました。下田には観光特急列車「サフィール踊り子」で行き、ガラガラの温泉に日帰りで入れて、貴重な旅行気分を得られました。

それ以外にも、神社やお寺によく参拝していました。コロナ禍で心が敏感になっているので、神社に参拝すると神様の優しい気配に包まれるような……。不安だったある日、東京大神宮《だいじんぐう》に参拝しておみくじを引いたら「ときくれば枯木とみえしやまかげの　さくらも花のさきにおいつつ」という歌が書かれていました。最初は枯木のような淋しさで先行き不安でも、いつかは春になる、という意味だそうで、少し希望を抱きました。

深大寺《じんだいじ》の「元三大師《がんざんだいし》」にも何度かお参りしました。平安時代に活躍した高僧、良源《りょうげん》さんは、世の人々を疫病から守るために鬼の姿になったと言われています。瞑想中に疫病神がやってきたので、自分の体に取り憑かせ、一時は高熱で苦しみましたが、指を鳴らしたら疫病神は出て行ったとか。疫病神と戦って鬼のようになっている姿が「角大師」のお札になっています。また、元三大師堂の奥には鬼気迫る形相で人々のために祈る「元三大師像」が鎮座。その境内で受ける護摩祈禱は、パワフルな太鼓とお経で巡りが良くなり、免疫力も高まりそうです。湧き水が豊かな深大寺は、お蕎麦が名物で温泉もあります。蕎麦と温泉と疫病除けを体験できるありがたいスポットです。

スピ系の識者の話を聞く

コロナについてスピリチュアル系の方がセミナーなどで語る機会が度々ありました。物理学者の保江《やすえ》邦夫先生のセミナーに行ったら、先生は「ウイルスに意識を向けてしまうと、その気持ちの伝わりを利用して瞬間移動してきます。防御は愛しかありません」ともおっしゃっていました。

アメリカ人のサイキック、ウイリアム・レーネンさんも「ウイルスはネガティブなエネルギーに引き寄せられます。ポジティブなことを話したり、親切にしたり、明るい動物の話題にフォーカスするとよいでしょう。でも政府やメディアは恐怖を煽る方向に行っていて、それが状況を悪くしています。他の人を励ましたり助け合うような空気になるべきなのに」と、おっしゃっていて、やはり心の持ちようが重要なようです。

ヒーラーでサイキックのアダマ・ハミルトン氏のセミナーでは「今は新しい目覚めが始まる時。ウイルスよりも有害なのは恐れです。恐れていると縮こまって閉じてしまい、光のエネルギーを受け入れられなくなってしまいます。そのせいで肉体的な問題も起こりやすくなってしまいます。怖がりすぎるのは良くありません」という話を伺いました。

恐怖や不安がウイルスを引き寄せてしまうそうです。そういえばスピ系のイベントでは、参加者は恐れていないことを体現するため、ノーマスク率が高いです。世間体が気になってまだその域には到達できません……。

タイのBLトリップ

不安の解消に役立ったのは、二〇二〇年頃から盛り上がったタイのBLドラマブームです。ステイホーム中、タイのイケメンが繰り広げる恋愛ストーリーにハマる人が続出。私も「2gether」のBrightとWinのBLカップルにハマってしまい、彼らのSNSやYouTubeを見ていたら半日経っているような生活に……。それまでは日々「コロナ」や「小室さん」で検索して殺伐としていたのが一変し、日々「Brightwin」で検索して多幸感に浸っていました。タイのドラマや映画で何度萌え死んだかわかりませんが、死んで再生するたびにリセットされ、美容や健康効果もあるような気がします。

ワクチンデマに負けない

気付いたら、反ワクの友人知人が周りに結構な人数存在していました。二〇二一年、私がワクチンを打ったと友人に報告すると数十秒ほど沈黙が生まれたり、「辛酸さんはワクチンを打ってもきっと救われます!」と励ましてくれた友人もいました。救われないといけない状況になっているのでしょうか……。また、「心ある医者がワクチンではなく生理的食塩水を打っているそうなので、それだといいですね」とも言われました。打つ打たないは自由ですが、打った人を憐れんだり、避けたりする風潮は悲しいです。

ある漫画家の集まりに行ったら、私以外全員ワクチン打たない派で、以下のような会話が飛び交っていました。

「すべて仕組まれてるから」

「ワクチン打ったほうがコロナにかかるってついに認められたよね」

「ワクチン打つと免疫下がって猿痘にかかりやすいらしい」

「何もかもがおかしい」

「コロナ以外の死者数が増えてるらしいし」

「打ち過ぎたら死ぬんでしょ。五回打った人に自慢げに言われたんだけど」

「報道を一〇〇パーセント信じきってる」

「ワクチン打つと血栓症になりやすいらしい」

「ワクチン打った人からスパイクタンパク質が出てるから、電車で近くにいると気持ち悪くなるらしい」

ワクチンを打った私はひとりドキドキしながらそんな会話を聞いていました。毛穴から何か出ていると思われて、距離を置かれてしまいそうです。しかし集団免疫を獲得するためにワクチンを打った人や、人々を救うためにいち早くワクチンを打った医療従事者のことも理解してほしいです。

人と会わない

二〇年九月頃、「週刊新潮」の「食卓日記」というページの原稿依頼がありました。一週間の食事について記す、という企画。一週間の予定を見たらほとんど人と会って食事する機会がなく、コロナ禍とはいえかなり淋しい人の日記になってしまう……と焦燥感にかられました。だいたいが家にこもって仕事して、夕方食材をデパ地下などに買いにいく、という生活。人と会わない半隠遁生活がコロナ予防につながっていたのでしょうか。

しかしそれを週刊誌に載せるのも淋しいので、久しぶりの知人から来たメールに、何か集まりがあったら参加させてほしいと返信。数年ぶりの知人とその友人二人の会食に半ば強引に参加させていただきました。しかし会場が土地勘のない二子玉川のもつ焼き屋……。キツネに化かされそうな川べりの薄暗い道をさまよい、やっとお店に到着。考えてみたらもつが苦手でした。「すみません。私、肉食べないんです……」と着いて早々お伝えし、みょうがとキュウリ、鯛の煮物、緑茶など、渋いメニューを頼みました。静岡出身の方々と、静岡に行った思い出などを話しましたが、もしかしたら久しぶりの気の置けない仲間の集まりを、微妙な空気にしてしまったかもしれません……。同席した方々とはそれ以来会っていません……。

磁石がくっつく

二一年、新型コロナウイルスのワクチンを接種した人の体に磁石がくっつくようになった、という話題がありました。モデルナ社の新型コロナワクチンにステンレスの異物が混入されていた、というニュースもあり、一概にデマとは言えないかもしれない、と気になっていました。

そんなある日，何気なく家の冷蔵庫に貼ってあったマグネットを腕につけてみたら、落ちない……実際に磁石がついてしまいました。夏場だったので汗でくっつきやすくなっているのもありそうですが、腕を振っても落ちません。ただワクチンを打つ前に同様の実験をしていないので、ワクチン後に磁石体質になったのか、それとももともと磁石がくっつく体だったのかは不明です。

磁石がくっつく動画を撮ってSNSにアップしたのですが、ほとんどの人にスルーされました……。あちら側に行ったと思われてしまったのでしょうか。

ちなみに「ワクチン 磁石」で検索すると「ワクチン 磁石 くっついた」と関連候補に出てきて、実は意外と磁石化している人はいるのかもしれません。磁石がくっつしいても肩こりに効くというわけでもなく、今のところ何のメリットも感じられません。Bluetooth や5Gに接続できた方が便利な気がします。

「ワクチンを打つと体に磁石がくっつく」
「5Gとつながってコントロールされる」、
そんな陰謀論が流れていましたが……
ワクチン後腕に冷蔵庫のマグネットをつけたら実際にくっついたという実体験が！
水道屋さんのマグネットが吸い寄せられる……
水道屋の広告の仕事が来ないか一瞬妄想がよぎりました

緑茶

緑茶に含まれるカテキンの一種であるエピガロカテキンガレートに、新型コロナウイルスの増殖を抑える可能性がある、という情報を目にしてから、毎日のように緑茶を飲んでいました。ヒトの細胞の表面にあるＡＣＥ－２受容体に結合しようとするウイルスへの阻害効果が高いのがエピガロカテキンガレートだとか。そういえば、茶人の知人も、茶道をやっている人でコロナに感染した人をまだ聞いたことがない、と言っていました。

日本で手に入りやすい緑茶にそんな効果があるとは。さっそく友人知人に情報を送りまくって、善行をした気分になっていました。人の役に立てたというポジティブな思いで、免疫力も上がりそうです。

コロナ予防について原稿をまとめていたお正月、風邪のような症状が……。これがただの風邪であることを祈りつつ、粛々と執筆いたしました。

（二〇二三年一月二日）

〔日本社会〕

アベノマスク論　フォーエヴァー

武田砂鉄

武田砂鉄（タケダ・サテツ）

一九八二年、東京都生まれ。ライター。出版社勤務を経て、二〇一四年よりフリー。著書に『紋切型社会』（朝日出版社、第二五回Ｂｕｎｋａｍｕｒａドゥマゴ文学賞受賞）、『芸能人寛容論』（青弓社）、『コンプレックス文化論』（文藝春秋）、『日本の気配』（晶文社）、『わかりやすさの罪』（朝日新聞出版）、『偉い人ほどすぐ逃げる』（文藝春秋）、『マチズモを削り取れ』（集英社）、『べつに怒ってない』（筑摩書房）、『今日拾った言葉たち』（暮しの手帖社）、『父ではありませんが』（集英社）などがある。

「弔辞にイチャモンつけるなんておかしいよ」

落語家・立川志らくが、安倍晋三元首相の国葬実施とその後の反応について、なんとも稚拙な見解をツイートしていた。

「グッとラックで私も散々桜を見る会、モリカケ、アベノマスクを批判してきた。でも葬式の時ぐらい静かに見送る。それが日本人の美しさだと思っている。弔辞にイチャモンつけるなんておかしいよ」（二〇二二年一〇月六日）

主語がデカい。指摘が大雑把。勢いだけはある。この手の強い言い回しを持て囃《はや》す動きはまだまだ止まらない。彼のツイートに言葉を補足してみると、自身がMCを担当したワイドショー番組「グッとラック！」（TBS系）では、安倍政権や安倍首相の問題点を手厳しく批判してきたが、こうして亡くなられた以上、批判などせずに静かに見送るのが日本人の美しさなのであって、国葬で述べられた弔辞に文句を言うような行為はよろしくない、と言いたいようなのだ。

さて、私は弔辞にイチャモンをつけたいと思う。なぜならば、政治家が公的に発する言葉というのは、どんな場面でも手厳しく考察されなければならないから。政治家の言動を有権者やメディアがチェックするというのは、「美しさ」なる身勝手な指標を持ち出されて封じていいものではない。それにしても、人間の機微が詰まっている落語を巧みに操る話者が、どうしてそれくらいのことさえわからないのだろう。わかっているのに、わかっていないふりをしているのだろうか。

二〇二二年九月二七日、日本武道館で強行された安倍元首相の国葬での弔辞が話題となった。その主たる評価とは、「菅さんの弔辞が感動的だった」「岸田さんの弔辞はそれに比べて感動的ではなかった」だった。後に、国会の場で行われた立憲民主党・野田佳彦元首相の追悼演説も同じように「感動的だった」との評価を得ていた。菅元首相や野田元首相は話し終えた後にテレビ出演などでその想いを饒舌に語っていた。このようにして、「静かに見送る」のが「日本人の美しさ」であり、「弔辞にイチャモンつけるなんておかしい」という流れが確かに強化されていったのである。

イチャモンをつけていく。菅首相はこう述べた。

「天はなぜよりにもよってこのような悲劇を現実にし、命を失ってはならない人から生命を召し上げてしまったのか」

家族や友人など、限られた人が参列している葬式ならば、この手の言葉に違和感を覚えはしない。自分にとって大切な人が若くして亡くなった時、なぜ、こんな順番なのか、と思ったことがある。誰を恨んだらいいのかわからない悲しみに、怒りや寂しさが混ざった。でも、今回は、税金を使って執り行われる国葬である。限られた空間での言葉ではなく、外に開かれた言葉となる。菅元首相の言う、「命を失ってはならない人」とはなんだろう。今回のような銃撃事件は、どんな人に対してでも起きてはならない。優先順位はない。あるはずがない。でも、菅元首相は順位をつけた。優劣があると宣言した。弔辞の冒頭で述べられたこの一節を聞いて怒りを覚えたのだが、翌日の新聞をめくっても、そのような論評は見当たらなかった。

安倍元首相が亡くなった二日後に行われた参議院選挙、直後のニコニコ生放送の開票特番（出演者：三浦瑠麗・東浩紀・石戸諭・夏野剛）で交わされていたやり取りを思い出す。残されている映像から、正確に文字起こししてみる。「サンデーモーニング」（TBS系）に出演したコメンテーターが発言していた「失われた命に差を設けてはならない」との見解を受けて、このように述べていた。

三浦　乳幼児がですね、祖父母に預けられた乳幼児が、熱中症で……などなどの理由で、おそらく死亡したと。サークルの中に閉じ込められていてしまった事件と、同列に並べて命の重さは同じだという話をしたんですね。

（「ん？」「ほう」「ああ」と相槌を打つ他の出演者）

三浦　同列に並べて、安倍さんの命と。ウクライナで、という話をして。まぁ、「サンデーモーニング」なんですけど。私、一見、正しいように見えて……。

夏野　全然正しくないよ、そんなもの！　レベルが違う話！

三浦　……全然正しくないんですよ。

文字起こししているだけで、体が冷たくなってくる。三浦はいつものように淡々と話し、夏野は上ずった声で突っ込み、他の二人はそれらの発言を問題視することもなかった。命には優劣があるのだろうか。命には「レベル」の違いがあるのだろうか。熱中症で亡くなった乳幼児と、演説中に銃撃された安倍元首相と、命の価値に差があるのだろうか。そんなの、どちらも大事に決まっている。どちらも失われてはいけない命だ。でも、そうではないと「論客」が言い、その後、菅元首相も近しい発言を述べた。菅元首相はこのようにも言っている。

「あなたの判断はいつも正しかった」

地下鉄に乗り、ラジオで国葬の模様を聴いていた私は思わず「えっ！」と声にしっかり出してしまったが、このご時世、換気のために窓を開けているため、常に車内が轟音なので助かった。安倍元首相の判断は、いつも正しいわけではなかった。ここで本稿のタイトルやテーマが効いてくる。アベノマスクだ。たとえば、アベノマスクと配るという判断は正しくなかった。どうにかして正しかったってことにする人たちがまだ残っているが、新型コロナが流行し始めたばかりの時、不安を抱えながら自分たちの生活を守ろうとした人たちに、更なる強い不安を与えたのがアベノマスクだった。執筆時点（二〇二二年一二月末）では新型コロナの第八波が到来しているが、丸三年が経とうとしている新型コロナとの付き合いは、あの不安から始まったのだ。

あなたの政治家としての真骨頂

ジャーナリスト・小林美希による『年収443万円　安すぎる国の絶望的な生活』（講談社現代新書）の中に、年収一二〇万円で働いている四一歳のシングルマザーの談話がある。この数年間の中で最も忘れられなかったのは、二〇二〇年二月二九日、当時の安倍晋三首相の記者会見だったと言う。このように述べている。

「緊急事態となった時にこの国はまず、子どもと女性を切り捨てた。そう思っています。専業主婦がいて余裕のある家庭は、子どもと一緒に過ごす時間が増えてよかったなんてマスコミのインタビューに答えた人もいましたが、それを見て、私とはすごく差があると痛感しました」

「一斉休校は私にとって、戦後稀に見る最低の政策だったと思うのです。国が余裕のない家庭の親も子も追い込んだのです。一斉休校のことは、ずっと忘れてはいけないと思っています。もし政策が間違っていたら、反省して次の対策を打ってほしいと思います。政治家も官僚も」

当時、安倍元首相はよく、「おうち」という言い方をしていた。星野源の動画に便乗して、自宅でくつろぐ様子を配信したこともあった。だが、「おうち」でゆっくりできる家庭もあれば、そうではない家庭もある。政治が目を向けなければいけないのは、どう考えても後者だ。でも、あの時、政治はまず後者を切り捨てたのだ。誰も使わないマスクを全員（私のところには未着）に配り、あとはそれぞれの「おうち」で頑張ってくださいと済ませてしまった。さて、「あなたの判断はいつも正しかった」のだろうか。

国葬の追悼の辞で、菅元首相と比べて注目されなかったのが岸田文雄首相だが、岸田首相はそこで、「国内にあってはあなたは若い人々を、とりわけ女性を励ましました。子育ての負担を少しでもやわらげることで希望出生率をかなえようと努力をされた」と述べた。そもそも、ジェンダー平等を実現しようと奔走した人に対して、あるいはそれを受け継いで奔走している人ならば、「女性を励ます」という言葉は出てこない。先述した女性の「この国はまず、子どもと女性を切り捨てた」との憤りこそがあの時起きていたことである。命にランクを設けた。これは大罪である。その後、彼があのような亡くなり方をしたことと区分けして考えられなければならない事実だ、

イチャモンはまだ続く。野田元首相による国会での追悼演説は各方面で絶賛された。その褒められ方というのは、「本来、敵対することの多い与党と野党だが、こういう時には、そういう壁を超えて、政治家同士、力量を称えるべきなのだ」というもの。そう、まさに立川志らく的な見解があちこちから飛び出したのだ。野田元首相は安倍元首相に向けて、「再びこの議場で、あなたと、言葉と言葉、魂と魂をぶつけ合い、火花散るような真剣勝負を戦いたかった」と述べた。受け止める私たちは、冷静にならなければいけない。言葉と言葉をぶつけるような場面は実に限られていた。むしろ、二〇一七年、都議選の応援演説で、自分に批判的な聴衆に向けて放った「こんな人たちに負けるわけにはいかない」という発言に代表されるように、言葉と言葉のぶつかり合いを避けてきたのが安倍元首相の政治手法だった。野田元首相は、一度、持病で首相の座を退いたものの再び復帰した安倍元首相を、このように持ち上げた。

「かつて『再チャレンジ』という言葉で、たとえ失敗しても何度でもやり直せる社会を提唱したあなたは、その言葉を自ら実践してみせました。ここに、あなたの政治家としての真骨頂があったのではないでしょうか」

特権的な立場にいる人間はなかなか切り捨てられない。再チャレンジの場が与えられる。政

治家がこの特権性を自覚していないはずはない。ましてや、このコロナ禍で、一度生活が崩れてしまうとなかなか立て直せなくなる人たちの生活から切り捨てたのだ。自ら「再チャレンジ」を実践したところで、そこに続けるはずがない。不安な日々に届けられたのは、布マスク二枚だけだった（武田家には未着）。野田元首相は素直な気持ちで言ったのだろうが、自分は皮肉を込めた上で、そっくりそのまま引用してみたい。「ここに、あなたの政治家としての真骨頂があったのではないでしょうか」。

今日こそ届くのだろうか

国葬が強行され、世界平和統一家庭連合（旧統一協会）と政治家との関係が曖昧なままとなり、次々と大臣が「事実上の更迭」という不可思議な形容で辞めていき、支持率が低迷する中で、岸田首相は防衛費の大幅増と原発政策の大転換を決めてしまった。防衛費増額をめぐっては、増税にするか国債にするか、自民党内という狭い世界で意見が割れ、メディアがその様子を無防備に伝えることで、防衛費増税自体が既成事実してしまった。自民党の猪口邦子議員がこのように言っていた。

「私は（財源が）国債では、世界が本気の抑止力に、日本はコミットしてないから。ウクライナに対して世界が示したような、あの機運を（日本が）取り付けることができないと思う。今、平時ですよ。戦時国債というのはあるけど、平時から国防を税金で賄えなくて、どうしますか」（「羽鳥慎一モーニングショー」テレビ朝日系・二〇二二年一二月一五日）

国債ではなく増税で構わない、国防は税金で賄え、と言っている。別の場面では「命をかけて国を守る人を税金で支えるというメッセージを出すのが政治の仕事だ。国民国家の基本は防衛を税金で賄うことではないか」とも述べていた。「命をかけて国を守る人を税金で支えるというメッセージを出すのが政治の仕事」とは思えないのだが、こういった勢い任せの言動が残念ながら政治の空気を作ってしまう。この猪口議員といえば、この「アベノマスク装着議員」には繰り返し登場する議員。なぜって、非常に珍しい「アベノマスク論」だから。先の発言時にも、しっかりとアベノマスクと思しき布マスクを装着していた。

久しぶりに布マスクを眺めながら、二〇二二年二月、ウクライナ侵攻が始まったばかりのタイミングで、テレビ番組に出演した安倍元首相が「核共有」だの、「非核三原則」を見直す可能性を言及していたのを思い出す。あの時はまだ、乱暴な防衛費増額の議論に付き合うメディアも少なかったし、何より岸田首相がその意見に乗っかろうとはしなかった。ところが、それから一年も経たない間に、岸田政権はウクライナ危機によって不安にかられる世論を活用しながら、防衛政策と原発政策の形を変えてしまった。国葬の後に放たれた安っぽい作文、事実誤認が多分に含まれる作文に心打たれてしまった人たち、あるいは、心打たれたかのように見せつけた人たちによって、この国の感情とやらは安っぽく操縦されている。

まだアベノマスクを装着している議員が、政治の仕事を「命をかけて国を守る人を税金で支えるというメッセージを出す」と定義づけているのだ。でも確かに、あなたがしている布マスクもそうだった。税金は、しんどい思いをしている人に使われるのではない。あなたたちにはこれくらいのもので我慢してもらって、あとは自分たちでなんとかしてほしい、というメッセージだったのだろうか。

今、アベノマスクはまだまだ各家庭に眠っている。捨てたり、寄付したり、人にあげたりして、既に手元にない人もいるだろうが、大半を占めるのが「えっと、どこかにあるはずだけど、どこやったっけなぁ」ではないか。アベノマスクという火種がこれからどのような問題を発生させるのか、未知数である。引き出しの奥のほうで長らく眠っているそれが、これから何を起こすのかはわからない。

二〇二二年夏にこんな報道があった。埼玉県幸手市の木村治夫市議が、厚労省が余らせていたアベノマスクを大量に受け取り、そのうちの約一万四〇〇〇枚を地元の自治会関係者に渡していたという。公職選挙法は選挙区内の有権者への物品寄付を禁じているので、法に抵触するのではないかとのことだった。木村議員は共同通信の取材に対して、「マスクが欲しいという地元の要望に応えただけだ。ただ、誤解を招く行為でうかつだった」と答えている。こんなことだって起きるのだ。厚労省が余っているアベノマスクを無料で送ると聞いたので、それに応募して、届いたマスクを自分の政治活動に利用しようとしたのだ。呆れてしまうけれど、アベノマスクをめぐっては、この手の呆れ方を何度もさせられてきた。想像だにしない事態によって、再びアベノマスクが話題になる日がやってくるのだろう。だって、みんなの家に、まだあのマスクが眠っているのだから。

安倍政権が終わり、安倍元首相が亡くなった。だが、アベノマスクはあちこちに存在している。安倍元首相の国葬実施に反対する声の中には、「政治家の評価は時間をかけて慎重にやるべき」との声があった。自分もその声に納得する。なぜって、立川志らくが自身が批判してきたとする「桜を見る会、モリカケ、アベノマスク」をめぐるそれぞれの疑惑は放置されたままなのである。弔辞だろうが、アベノマスクだろうが、権力者の言動には常に「イチャモン」が必要である。アベノマスクを自宅の部屋の壁に貼り付けて、その姿勢を失わないように心がけたいのだが、我が家にはまだ届いていないのである。今日こそ届くのだろうか。原稿を編集者に送ったら、ポストを見に行ってこようと思う。

（二〇二二年一二月二八日）

［哲学］

コロナ禍と哲学　6

仲正昌樹

仲正昌樹（ナカマサ・マサキ）

一九六三年、広島県呉市生まれ。東京大学大学院総合文化研究科地域文化研究専攻修了（学術博士）。現在、金沢大学法学類教授。専攻は、政治思想史、ドイツ文学。主な著作に『危機の詩学』『増補新版　モデルネの葛藤』『カール・シュミット入門講義』『ハンナ・アーレント「人間の条件」入門講義』（以上、作品社）、『今こそアーレントを読み直す』『マックス・ウェーバーを読む』『ハイデガー哲学入門』（以上、講談社）、『集中講義！日本の現代思想』『集中講義！アメリカ現代思想』『悪と全体主義』『現代哲学の最前線』（以上、ＮＨＫ出版）など。

一　「コロナ」から「カルト」へ

マスコミの話題の中心が「コロナ」から「ウクライナ」に完全にシフトし、毎日報道される新型コロナ感染者数によって政治が、行動制限が必要かどうかをめぐって右往左往することがなくなり、コロナ禍がようやく終息しそうに思えてきた七月初旬、安倍晋三元首相の暗殺事件が起こった。山上徹也容疑者に対する取り調べの過程で、彼が旧統一教会に対して恨みを抱いており、その恨みに対する矛先を旧統一教会と親しい関係にあった安倍氏に向けることになった、と述べていることが報道された。

この報道に伴って、三十年数年ぶりに「統一教会」のことがマスコミで大々的に取り上げられることになった。どういう教義を持ったどういう教団であるかについてはあまり関心が持たれないまま、教団による霊感商法・高額献金問題と自民党との癒着に集中した批判報道が続いた。その結果、宗教法人法に基づく質問権が行使されて、解散請求が取り沙汰されるようになり、〝旧統一教会被害者救済法〟——実際の名称は、「法人等による寄付の不当な勧誘の防止等に関する法律」であり、被害者救済のための法律でも、宗教団体だけを対象にするものでもない——が制定された。

周知のように、元信者である私は、テレビや新聞などマスコミでたびたびコメントを求められた。元信者であることは、拙著『統一教会と私』（論創社）など、いろんなところで自分で語ってきたが、さほど一般的に注目されることはなかった。多分、私が統一教会の学生組織である原理研究会（ＣＡＲＰ）で活動していた頃、やりあっていた元左翼の大学教員のツイートなどから、テレビ局や新聞が元信者だと気付いたのだろう。

『統一教会と私』で明言していたように、私は、自分が経験した統一教会の全てを否定するつもりはなく、ポジティヴな面についても率直に語る、という態度を取ってきた。脱会した時、私自身は統一教会の中で生きていくことに耐えられないし、その教えの中核部分はもはや信じがたいと感じていたが、同時に、統一教会のなかで幸福に生きている人、統一教会の信仰を持ちながら社会的に成功を収めている人もいるので、その人たちの生き方までも否定してはいけない、とも思っていた。

今回改めてメディアの取材に応じる際にも、それで通そうとした。マスメディアは少なくとも建前としては中立性を標榜しているのだから、私のように論点ごとに違う立場を取る証言者も必要なはずだと思っていたのだが、どうもそうではなかったようだ。今更言うまでもないが、ワイドショーの視聴者たちは、〝統一教会〟のような〝巨悪〟が徹底的に糾弾され、社会的に抹殺されていくのを見たいと願っている。〝巨悪〟の側の立場を代弁する者がテレビに現れるのは、批判に対して、反論するためではなく、サンドバッグになるためだ。〝巨悪〟に反論する権利などない。その団体にかつて属していた者はもっぱら内部告発者でなければならない。そうでない者、是々非々の発言をする者は、実はその団体と今も繋がっている回し者ということになるらしい。

ワイドショーのネタとしての〝統一教会〟に夢中になっている連中の目には、私は、そうした〝実は今も繋がっている回し者〟の典型に見えたようである。私はテレビに出演する場合でも、統一教会の信者たちがどういうつもりで活動しているのか、できるだけ教会の用語を使いながら、できるだけ客観的に説明しようとした。すると、その直後ネットに、「何を言っているのか全然頭に入ってこない」「この人、大丈夫?」「こんな人雇っていて、金沢大学、大丈夫か?」「まだマインドコントロールが解けていない(笑)」「現役信者でしょ!」「現在の地位も統一教会によって用意してもらったに違いない」……といった誹謗中傷を並べ立てて面白がる集団が登場するようになった。

念のために言っておくが、霊感商法・高額献金に問題はないとか、文鮮明先生はやはりすばらしい人だとか、入信したことで魂が洗われたような経験をした……などと言ったわけではない。ただ、実際に彼らがどういう活動をしているか、どういう教義に基づいているのか、知っている範囲で正確に語っただけである。しかし、反統一教会クラスターの人たちは、統一教会がどういう性質の宗教であるかには関心がないようである。彼らがイメージしている〝統一教会〟こそが、「統一教会」の実体であって、それを否定するのは、教会擁護に他ならないようである。脱会者は、涙ながらに統一教会の非道さを糾弾すべきである。私のように、第三者的に客観視しようとする態度や、報道で言われている「自民党とのズブズブの関係」や「マインドコントロールの恐怖」を大げさすぎると指摘することは、マインドコントロールされ続けていることの証拠らしい。

私個人に対する悪口はまあいいとして、彼らの中には、「反統一教会」の立場でない人間がメディアに出て発言することは許されない、と堂々と言い放つ者さえいる。この人たちには、報道の公正・中立性とかデュー・プロセス[1]（due process：適正手続き）といった発想はないのか。一部のネット民が興奮して、自由主義的な法治国家ではありえないようなことを口走るのは仕方ないのかもしれないが、マスコミも事実上、同じような発想をしているように思える。ほとんどのテレビ報道では、元信者や被害者を名乗る人たちの告発に対して、統一教会側の反論を求めるどころか、私のように是々非々の立場でコメントする人間さえ面倒くさがられる始末だ。一九九五年のオウム真理教事件の報道の時は、ワイドショーでも、しつこいぐらいに教団側の反論コメントが求められていたが、今回の統一教会問題では、〝ネットの声〟に答えるかのように、統一教会側の反論はほぼ排除されている。

統一教会の側の記者会見を中継することはあるが、それは編集によって統一教会の愚かさを際立たせるためであって、マスコミの側から、個別の疑惑に対してしつこく質問し続けるというようなことはない。無視されても食らいついて質問するのが記者だといって賞賛していた人たちはこの状況についてどう思っているのか。彼らにとっては、〝疑惑〟などなくて、旧統一教会に関するネガティブな情報は全て真実なのかもしれないが。

更に言えば、国会で旧統一教会問題を審議している与野党の議員や、この問題を担当している閣僚たちも同じような発想をしているようである。彼らが「二世信者の意見も聞きます」と言う時、念頭にあるのは脱会して、明確に被害者のポジションを取って告発している二世信者であって、現に信仰を持っている二世信者のことは無視されている。彼らもまた、現役信者はマインドコントロールされているので、話を聞いてもしょうがないと思っているのだろうか。

こうした異様な状況の半ば当事者のような立場に立たされたおかげで、私はこれと同じような雰囲気がちょっと前まで、ある問題をめぐるマスコミ報道やネット世論で支配的だったことに気が付いた。「新型コロナウイルス問題」である。「新型コロナ」のパンデミックという、これまで日本も世界も経験したことがない「例外状態」に対処するには、通常の法律の手続きなど構ってはいられない。「コロナ」は徹底的に駆除しないといけない。妥協の余地はない。行動規制に懐疑的な専門家は偽医者なので、テレビに出してはいけない。

以下で詳しく検討していくように、マスコミやネットの「新型コロナ問題」に対する基本姿勢と、「統一教会問題」に対するそれにはいくつか似ているところがある。日本の公衆が、感染症問題と新興宗教問題に対して元々同じような反応をしていたからなのか。あるいは、コロナ禍が続く中で、公衆の思考や感情の動きが変化したからなのか。

二 「感染」していく「汚れ」

先ほど、私が統一教会のやっていることをできるだけ自分が見たままに再現しようとしたことに対して、ネット上の反統一教会のクラスターが必死に誹謗中傷し、メディアに登場させないように圧力をかけてくると述べた。単に第一印象で私が嫌いなだけかもしれないが、彼らの悪口を見ていると、どうも、統一教会が実際にやっていることを内部の視点から語ること、統一教会内部の用語を使って語ること、教義の具体的内容を説明することは、「危ない」と思っているようだ。加えて、私の場合がそうであったように、統一教会から脱会するのがさほど困難ではなく、むしろ、おまえなんかさっさと出ていけと言われながら出て行ったと証言するのも、「危ない」ようだ。前者は、それが統一教会に関心を持たせる恐れがあるからで、後者は、統一教会に対する警戒心を弱めるからである。

要するに、「統一教会」の教義や実践に少し触れるだけで、「マインドコントロール」に侵される恐れがある、かなり感染力が高いと思っているのだ。侵されても、自力で治癒できるとなれば、「マインドコントロール」にかかることを人々がそれほど恐れなくなるので、「脱会は極めて困難。自力では難しい」と言わなければならない。まるで、コロナに対する自粛圧力のようだ。以前に感染してウイルスをまだ保有していて、他人にうつす恐れがある人間は、ＰＣＲ検査等を受けて完全に陰性を証明されるまで、公の場で活動してはならない。専門家や既感染者が、感染してもほとんどの人は治るので過剰に心配してはならないとマスメディアで発言すれば、自分だけは大丈夫だと思い込んで気ままに行動する人間を後押しすることになるので許されない。

マスコミでよく使われた「統一教会汚染」という表現も、感染症に近いイメージがあることを示唆している。「汚染」はどちらかと言うと、公害とか薬物関連で使われる言葉だ。しかし、統一教会の信者が議員などの事務所や地域住民サークルに秘書やボランティアとして秘かに潜入し、その事務所や運動団体の中核にまで入り込むこと、あるいは、そこを媒介拠点として、それと深い関係にある議員事務所や団体に入り込むことを、「汚染」と言っているのだから、ウイルスや細菌の「感染」に近いイメージだろう。新型コロナと同じように、感染してもすぐに〝発症〟するとは限らない――議員の場合、すぐに統一教会の教えをそのまま反映した立法活動するとは限らない――が、だからこそ、感染した恐れがあるものは特定され、隔離され、ウイルスを根絶するための特別な措置を受けねばならない。それを受けるのを拒否するのは、他者を感染させても――自分が広告塔になることによって、統一教会の信者や献金者を増やすことになっても――平気ということであり、政治家失格ということになる。

「統一教会」を感染症であるかのように語る言説では、「マインドコントロール」がキーワードになっている。「コントロール」という以上、高度なテクニックが必要なのではないかという気がするが、反統一教会クラスターの人々は、統一教会の信者は、末端の信者でも、接した相手を取り込んでしまう「マインドコントロール」の能力あるいは感染力を持っているという前提で、〝統一教会の危険〟を強調する。

反統一教会クラスターの人たちの大半が、他の場面では、おかしな教義に洗脳されてしまう統一教会信者の知性をかなり低く見積もっている、というかバカにしているのに、信者たちが強い「マインドコントロール」力を持っているというのは矛盾しているように思える。彼らは「マインドコントロール」をどのような現象と捉えているのか。

恐らく、反統一教会の人たちは、はっきり自覚しないまま、「マインドコントロール」をいくつかの異なった意味で使っている、あるいは、異なった意味の間を行ったり来たりしているのだろう。少なくとも、①霊感商法や高額献金などに際して、ターゲットになっている人にそれしか選択肢がないと思わせる手法、②信者たちが信仰を続けたいと常に動機付けられるよう生活を管理する手法、③統一教会は霊的にも政治的にも至る所に網の目を張り巡らしているので、逃げようとしても無駄と思わせる手法、④統一教会が社会的に有意義な活動をしていて、各界のＶＩＰに認められていると一般信者や信者になる前の人、関連団体のシンパ等に思わせる手法、⑤信者と接することで、統一教会の教えや活動がすばらしいものであるかのように、一般の人たちを錯覚させる手法――の五つくらいの意味がありそうだ。

まず、①については、現役信者たちの目から見てもインチキだとしか思えない強引なやり方があるのだから、その存在は否定できないが、それは霊感商法関係の部署にいた人や、一般信者に献金を要求する責任者の立場の人でないと、具体的にどうやるのかわからない。そういう立場の人でも、十分な実績を上げているとは限らないので、この手法が実際に使えるのは信者のごく一部だろう。②については、日々一緒に生活し、その人の様子を観察していないと、コントロールすることはできないので、①とはかなり異なった種類の手法が必要になるはずだ。私の経験からすると、②の意味でのコントロールの手法はゼロとは言えないが、確立したメソッドのようなものがあるわけではなく、ある程度責任ある立場の信者たちも経験によって直観的にやっているだけだろう。

③は、各教会の責任者が礼拝の時に語る説教などを繰り返し聞くことで、徐々に各人の意識に浸透するのだろう。しかし、語られる内容はそこの責任者ごとにまちまちであり、何をどのように言ったら決定的に効くか、誰にもわからない。末端の信者は、影響を受けるだけで、自分からそういう手法を使う機会はあまりないはずだ。④は、基本は広報活動であり、統一教会

が他の宗教団体や運動団体と比べて広報に長けているかどうかは別にして、広報の経験のない一般信者にはあまり関係ない話だ。

統一教会の「マインドコントロール」に、実際の感染症のように、「触れるだけうつってしまう」危険があるとしたら、⑤の意味においてだけだが、⑤があるということは、統一教会の一般信者に、接しているだけで他人を感化してしまうだけの何か特別な能力が備わっていると認めることになる。私が、「(積極的に教会批判をしない)元信者」としてメディアに登場するのが危険だと言っている人たちも、私にそういうものが残っていると暗に想定しているのだろう。

しかし、それは、統一教会の信者たちは、自分で判断する能力を失って、抜け殻のようになり、目は虚ろで、自発的に生きているとは思えない、精神に変調をきたしているので常識が通用しなくなっている……といった一般的に流布しているイメージと矛盾する。そんな存在が、少し話をしたり、一緒に仕事やボランティア活動するだけで、健全な常識のある市民を感化できるだろうか。そもそも、一般信者や私のような元信者にさえ、そうした感化力が自然と備わっているとすれば、それは「統一教会」には、それまでごく平凡な生き方をしていた人間を、接するだけで他人を感化できる人間へと変身させる技法、その方面での、潜在能力を高める技法があると認めることになるのではないか。

無論、統一教会の「汚染=感化」力を〝警戒〟している人たちは、「マインドコントロール」の意味について厳密に考えてはいないだろう。統一教会信者が共通で身に付けている「マインドコントロール」の技法あるいは能力とは何ですか、と聞いても、ちゃんと答えられないだろう。しかし、本当のところよくわかっていないということがわかったとしても、彼らがそれで冷静になることはないだろう。

反統一教会のクラスターにあっては、「よくわからない」は、「だから慎重に判断しよう」ではなく、「どんな危険があるかわからない」へと転換される。後になってとんでもない悪影響があったと判明する前に、完全に抑え込むための先手を打たねばならない。危険をなくすには、解散に追い込み、日本から追い出さねばならない、ということになる。そうした反応の仕方は、コロナに対する世論の反応に似ている。韓国産の宗教で、韓国人をメシアとして崇め、日本と韓国の間に特別な関係があると主張する統一教会は、〝外来性〟の新型コロナウイルスと同じように、「正体不明」であることによって、人々の不安を喚起するのかもしれない。

三 「ウィズ・コロナ」と「ウィズ・統一教会?」

冒頭で述べたように、統一教会問題が浮上した時期は、「ゼロ・コロナ」を求める世論がかなり弱まり、事実上の「ウィズ・コロナ」に転換し始めた時期である。実際、現在(二〇二二年年末)まで、新しい変異株に対応するための新たな規制を求める声は強まっていないし、政府もワクチン接種を呼び掛ける以上のことはやっていない。毎日発表されている感染者数が増加に転じているにもかかわらず、むしろ、感染症法上の二類相当の扱いから五類相当への引き下げが検討され始めている。

その一方で、「統一教会」に対して、もはやこれ以上、日本人の精神を「汚染」することは許されない、「解散」させなければならない、という声が強まった。無論、反統一教会クラスターの間でイメージされているのとは違って、宗教法人として解散させられても、税法上の特権が奪われ、法人としての財産は処分されることになるが、各人が個人的に信仰することまで法律で禁止されることはない。ただ、いったん法的に「解散」させられると、日本社会では許容されないおかしな教えを信奉している、反社会的な集団という烙印を押されることになり、彼らが日本社会で生きていくのが困難になるのは間違いない。信仰を捨てるか、日本社会で白い目で見られながら生きていくか、信仰の祖国である韓国等に移住するか、という選択を迫られることになる。

今の世論の動向を見る限り、「ウィズ・コロナ」は黙認できるが、「ウィズ・統一教会」はあり得ないのである。私が統一教会を辞めた一九九二年にも、著名な芸能人も参加した合同結婚式で統一教会が話題になり、それが霊感商法批判に転じて、連日ワイドショーで反統一教会の報道がなされていた。しかし、今回と違って当時は、様々な疑惑に対する統一教会の側からの反論や現役信者の意見も報道されていた。統一教会批判のコメンテーターたちも、霊感商法のような違法行為をしないのであれば、彼らにも信教の自由があると言っていた。勝共連合などを介しての反共的な政治活動も、霊感商法と直接関係付けて批判されることはなかった。

今回は、教会の非道さを告発する元二世信者の声は取り上げられるが、現役の信者の声はほとんど取り上げられていない。反統一教会のコメンテーターたちは、統一教会は信仰を押し付けられ、違法な活動へと駆り立てられる二世信者や、高額献金をするように脅かされる（相対的に）資産家の信者のような、不幸な人たちを生み出すので、解散させるしかないと強調する――統一教会信者にも「内心の自由」はあるのかと問われたら、いろいろ留保を付けたうえで、仕方なく認めるだろうが、積極的に認めることはないだろう。統一教会と協力関係を持つと、広告塔として利用されてしまうので、関係を持つこと自体が犯罪的な過ちと見なされる。家庭生活の大切さを子どもたちに伝える、といった、統一教会でなくても、保守系の人であれば賛成しそうな政策でも、その立案や制定過程に統一教会が関わると、「統一教会由来」と認定され、統一教会によって政治が乗っ取られている腐敗の証拠と見なされる――単に、保守とはどういうものかわかっていない人たちが、「統一教会」という言葉に過剰反応しているだけかもしれないが。ベテランのはずの政治家やジャーナリストにも、夫婦別姓や同性婚反対は、統一教会のイデオロギー的感化によるとコメントしている人がいる。

その内容や程度がどうであれ、「統一教会が関わっている」こと自体が、許しがたい汚辱であり、それを容認するような発言をする私のような人間は、「やっぱり現役信者」ということになってしまう。宗教団体としての「統一教会」やその個々の信者が何を考えてどういう行動をし、それと関わった政治家、役人、ジャーナリスト、学者、市民団体がどう受け止めたかとは関係なく、とにかく、「統一教会」と接点があったこと自体が許されない――「かなり保守的な（右の）思想を持つこと」＝「統一教会」であり、いずれにしても許されないので、「統一教会」に固有の教義の影響を受けているかどうかどうでもいい、と思っている人もいるかもしれない。

「統一教会」は、危険な未知のウイルスのように、存在すること自体が社会に不幸をもたらす「異物」であり、ウイルスのキャリアに相当する個々の信者の意志とは関係なく、社会を汚染し続ける。汚染＝感染を根絶するには、絶滅させるか、それが無理なら、キャリアである信者たちに烙印を貼って社会から隔離するしかない。

キャリア扱いをやめてもらうには、「マインドコントロール」から完治したと自ら証明しなければならない。そのためには、脱会宣言するだけでは十分ではない。教会の全てを悪と断じ、反対運動に加わらねばならない。私に言わせれば、それは「逆信仰告白」であり、ある意味、統一教会の内部にいる時以上に、思考内容をコントロールされることである。『統一教会と私』で述べたように、私がいた頃の統一教会には、教団のやり方がおかしいと言って不平不満を口にすることはできた――無論、他の信者からは危ない人と見られ、「アベル」から指導を受けたが。こういうことを言えば、すぐに「やはりマインドコントロールが解けていない」と攻撃する輩が出てくるだろう。

四　リベラルを非寛容にする「汚染＝感染」の恐怖

「統一教会汚染」を危険視している人たちの全てが、本気で、「統一教会」をペストやエボラ出血熱並みに危険であると考えているわけではなく、「汚染が蔓延している」と言って、自民党を叩きたいだけかもしれない。そういう気持ちが強いため、「統一教会」がどういう存在かよくわからないが、「危険であること」だけはよくわかっている気になっているのかもしれない。

「統一教会の被害者がこんなに苦しんでおり、更に多くの被害者が出る恐れがあるのに、それに手を打たないで、むしろ選挙のために協力関係を維持しようとするかのように振る舞うのは、国民のことを考えてない証拠だ」、という責め方は、「新型コロナで、弱者を中心に多くの人が危険に晒され、現に命を落としている人がいるというのに、大企業に忖度して、強い措置を取らないのは、国民のことを考えていない証拠だ」、とよく似ている。

そういう強硬措置を求める極端な意見が強くなっている時に、それが憲法で保障されている自由権的基本権の侵害にならないよう、多数派の圧倒的な声によって少数派の反論を封じ込めることがないよう、注意を促すのが、「リベラル」の役割のはずだ。しかし、統一教会問題では、普段、「リベラル」で通っている人たちは、問答無用で潰そうとする世論に歯止めをかけようとしない。統一教会を「反社」と呼び、この団体に対して、「解散請求」するよう政府に圧力をかける方向へと世論を誘導しようとする人さえいる。リベラル・左派の政党である立憲民主党や共産党は、宗教法人の名を借りた「反社」と保守政界の長年にわたる癒着を徹底的に解明すべきだと主張している。

旧統一教会が霊感商法・高額献金などで、法律上の問題を多数引き起こし、刑事事件に発展したケースもあるのは確かである。しかし、深刻な法的トラブルを抱える宗教団体や社会運動団体は旧統一教会だけではない。立憲民主党や共産党にもトラブルはある。旧統一教会が霊感商法・高額献金で目立っているのは間違いないが、どういう種類の法的トラブルがどれくらいあれば、暴力団並みに「反社」と呼ばれ、解散請求の対象になるのか。「どれくらい」については、件数か被害者数か被害総額か、和解や消費者庁への相談等は含むのか、教団の規模に比例するように計算するのか、といったことを考えねばならない。しかし、統一教会とその他の団体をはっきり分ける「基準」は、今のところ誰も示していない。

また、解散のような重大な不利益を伴う決定をおこなう場合、予め定めた手続きに従って、当人に疑惑に対して反論する機会を与え、どういう根拠に基づく決定か明らかにする必要がある。法学でデュー・プロセスと言う。現在おこなわれている「質問権行使」は、デュー・プロセスの一部に当たると考えられる。ただ、これはあくまで教団の指導部と文化庁との間でのやりとりであり、解散によってその将来に多大な影響を受ける一般の信者の意見を聞いているわけではない。彼らの多くは霊感商法などの違法とされている行為に関わっていない。

国会での〝被害者救済法〟の審議過程でも、元二世信者や高額献金した人の身内など、被害者の話は聞かれたが、現役信者の話は聞いていない。被害者の話を聞くのであれば、害を与えたとされる当人にも発言の機会を与え、双方の言い分を照らし合わせるのがデュー・プロセスだが、そうなってはいない。マスコミでの報道は言わずもがなだ。〝リベラル〟の論客たちはそうしたことに対して疑問を呈していない。

一番問題なのは、「マインドコントロール」という概念が無造作に使われていることである。悪徳商法一般にあるように、狭い場所に押し込め、大勢で取り囲んで脅すようなやり方で、無理やり献金させること、先の私の分類で言えば、①の意味での、「マインドコントロール」に対して法的規制をかける、というのであれば、おかしな話ではない。統一教会の一般信者の中にも、その方が問題がクリアになるし、上から無理難題を押し付けられなくなるので、むしろ歓迎だと思う人がいるだろう。しかし、反統一教会クラスターの中には、明らかに「統一教会の教義を信じること自体」が「マインドコントロール」の帰結だと主張している人たちがいる。普段、「リベラル」で通っている法律家や政治家にもそういう言い方をしている人たちがいる。

その意味での「マインドコントロール」を問題にするのは、明らかに「内心の自由」への干渉だ。加えて、統一教会の信者は全て、ナンセンスな教えを信じているという意味で、マインドコントロールされているとしたら、そういう人間に法的な責任能力があると言えるのだろうか。マインドコントロールされている人のやったことは、マインドコントロールをかけた人間に責任があるとしたら、どんどん遡っていくことになり、最終的に、全ての統一教会の信者のやったことは文教祖にあることになるが、彼はとっくの昔に亡くなっている。そういう、ポストモダン系の議論でよく見かけそうなパラドックスに陥ってしまう。

たとえ、「一見しただけで邪悪とわかる」存在であったとしても、具体的なペナルティを課す場合には、どういう基準によるのかはっきりさせないといけない。Aには当てはまるが、BやCや……には当てはまらない、客観的な基準はあるのか。そして、その基準は、一部の人を犠牲にして社会のメインストリームの利益を図るためのものではなく、正義に適った、公平な基準として設定されたのか。それにとことん断るのが「リベラル」だ。

そういう正義に適った明確な基準がないと、恣意的に運用される恐れがあり、誰が次のターゲットにされるわからないからだ。自分の嫌いな思想や性格の相手であればあるほど、その相手への嫌悪感によって自分の目が曇っている恐れがあるので、そうした基準に基づくペナルティになっているかどうか、しっかり吟味しないといけない。

旧統一教会に大した問題はないので放っておけ、と言いたいわけではない。結果的に解散を命じることになるとしても、そこに至るまでのプロセスの要所要所でどういう判断がなされたかのか、後でその妥当性を検証できる客観的な基準が必要だと言っているのである。

しかし、「統一教会汚染」への恐怖感・嫌悪感が先行したためか、日本の〝リベラル〟は、基準を明確にしないまま、とにかく統一教会を潰すことに邁進している。あまりにも危険な「統一教会」は「例外」扱いせざるを得ないのだろう。あまりにも危険な「新型コロナ」に対しては、(たとえ基本的な人権が侵害される恐れがあるとしても)一刻も早く緊急事態宣言を出さざるを得ないのと同じように。

五　危険なものに対する寛容

「リベラル」系の人たちが「新型コロナ」や「統一教会」に対しては、通常の法的手続きを無視してまでも、一刻も早く処分しなければならないと考えるのは、彼らが潔癖症的な体質を持っているからかもしれない。社会を汚染する病原体を見えないところで汚染しているものがある、ということに我慢ができないのだろう。

そうした潔癖症的な体質は、それ自体としては悪いものではない。潔癖症であるからこそ、普遍的に妥当する正義の原理を求めたくなるのかもしれない。九条護憲に拘る人たちは、潔癖症なのだろう。潔癖症ゆえの怒りや焦燥感が、法や政治・経済を恣意的に運用しようとする権力者の具体的な行為に向けられる場合はいいが、自分が何に対して闘っているのかよくわからないまま、突き進もうとする時、暴走する恐れがある。

だからこそ、自分の好き嫌いで相手を裁くことがないよう、自分自身をも縛る客観的な基準を求めるのが、真の「リベラル」のはずだ。日本の「リベラル」はいつのまにかそうした自省の精神を失ってしまったのか、「新型コロナ」の脅威によって感覚がおかしくなっているのか。

フーコーが指摘するように、感染症に対する恐怖が西欧諸国の法や政治の在り方を変化させ、ハンセン病患者の隔離→ペスト発生地帯の封鎖と潜在的感染者の管理→種痘のための全人口の統計的把握、という三段階で、人々の生を包括的に管理する「生権力」を発展させてきた。[2] カナダの社会学者デヴィッド・ライアンは、新型コロナへの各国政府の対抗措置の帰結として、ＧＡＦＡ等のグローバルなＩＴ企業の顧客情報収集システムと融合した情報管理社会、生体情報をも管理する社会が登場しつつあることを指摘している。[3]

この現状に、「リベラル」はどういう態度を取るべきか。とにかく危険を除去するために、ＩＴを動員した監視システムも仕方ないという態度を取るのか——カルトの感染を防ぐために大学や会社、地域自治会などで、メンバーの宗門改め（思想・信条調査）をおこなうことを容認するのか。それとも、あくまで個人の自由を守ることを優先し、ある程度の危険は許容するという前提で、その限界線を探る、という方向に進むのか。

新型コロナ問題と統一教会問題は、日本の〝リベラル〟が潔癖症をこじらせて全体主義的な方向に流れていくのか、真の「リベラル」になるのかの分かれ目になるのではないだろうか。

（二〇二三年一月一日）

注

1 この点について詳しくは、拙稿「旧統一教会に初めての質問権行使、「解散ありき」の危うさ」：Diamond Online を参照。

2 『定点観測 二〇二〇年代前半』に掲載された拙稿「コロナ禍と哲学」を参照。

3 David Lyon, Pandemic Surveillance, Polity, 2022（松本剛史『パンデミック監視社会』ちくま新書、二〇二二年）を参照。

［教育］

異常が日常化した「コロナ世代」

前川喜平

前川喜平（マエカワ・キヘイ）

一九五五年、奈良県生まれ。現代教育行政研究会代表。東京大学法学部卒業後、一九七九年に文部省入省。二〇一六年に文部科学事務次官。二〇一七年一月に退官後、加計学園問題で岡山理科大学獣医学部新設の不当性を公にする。福島市と厚木市で自主夜間中学の講師も務める。著書に『面従腹背』、『権力は腐敗する』（いずれも毎日新聞出版）、『コロナ期の学校と教育政策』（論創社）、共著に『同調圧力』（角川新書）、『生きづらさに立ち向かう』（岩波書店）、『日本の教育、どうしてこうなった？』（大月書店）など多数。

政府の無策が与えた偽りの安心感

本稿執筆の時点（二〇二三年一月一〇日）で政府は新型コロナウイルス対策として何らの行動制限も発令していない。緊急事態宣言は二〇一九年九月三〇日を最後に出されておらず、まん延防止等重点措置も二〇二二年三月二一日を最後に出されていない。

一方、国内における新型コロナウイルス（以下、新型コロナ）による死者数の推移を見ると、二〇二三年一月八日の時点で累計が六万人を超え、一〇日の時点で六万四一一人に達しているが、そのうち五五％に当たる三万三一五六人は政府が行動制限をおこなわなかった二〇二二年三月二二日以降に亡くなっている。第六波はなだらかに収束に向かい六月には小康状態に入っていたが、七月から九月にかけて「BA・5株」を中心とする大きな第七波が起こり、九月二日には一日の死者数が三四七人に達した。一〇月からはさらに大きな第八波が始まり、一日の死者数は一二月二九日に四二〇人、年明けの二〇二三年一月七日には四六三人と記録を更新。直近一カ月で約一万人が死亡した。

二〇二一年一〇月の岸田内閣発足以来、新型コロナ対策を担当していた山際大志郎内閣府特命担当大臣は、第七波の最中、統一教会との癒着関係をめぐる問題で説明が二転三転し、一〇月三日に招集された臨時国会で連日野党の追及を受け、政府の新型コロナ対策の司令塔機能に空白を招き、一〇月二四日に辞任した。この間、政府の新型コロナ対策は経済を優先して制限を緩和する方向でしかおこなわれなかったが、死者数で見る限り第七波と第八波に襲われた二〇二二年後半から二〇二三年初頭にかけては、日本における新型コロナの感染拡大が最悪の時期だったと言ってよい。

第六波が収束に向かっていた時期、岸田内閣は新型コロナ発生以降の政府の対応を評価し、中長期的観点から課題を整理することを目的として、内閣官房に「新型コロナウイルス感染症対応に関する有識者会議」を設けた。同会議は五月一一日から六月一五日まで五回の会合を開いて「感染症司令塔機能の強化」などを提言する報告をまとめ、これを受けて岸田首相は「内閣感染症危機管理庁」の設置や国立感染症研究所と国立国際医療研究センターの統合などの方針を打ち出した。新型コロナそのものが収束に向かうと楽観視していたのかもしれないが、実際にはその後最悪の感染拡大が起きた。目前の対策をほったらかして過去の検証や中長期的な課題を検討している場合ではなかった。

また、二〇二二年七月前半からの開始を予定していた「全国旅行支援」(「Ｇｏ Ｔｏ トラベル」の名前を変えたもの)について、岸田首相は第七波に直面して一旦延期したが、一〇月一一日から開始した。これが第八波の拡大に拍車をかけたことは否定できないだろう。

死者数を基準にして客観的に見れば、新型コロナの状況は深刻化していたにもかかわらず、国民の間には不思議な楽観のムードが溢れていた。それはなぜだろう。

変異株の「ＢＡ・2」や「ＢＡ・5」は極めて感染力が強かったが、逆に重症化率や致死率は極めて低くなった。その結果、多くの人々が罹患して快復するという経験をし、罹患しなかった人たちも身近にそういうケースを見聞きした。そのために「コロナはかかってもすぐ治る」という安心感が広がったと考えられる。

第七波の感染拡大は首相官邸にも及んだ。七月下旬から松野官房長官を皮切りに、嶋田首席秘書官を含む三人の秘書官が感染し、八月二一日には岸田首相の感染も確認された。しかし、誰も重症化することなく職務に復帰した。このことは結果として国民の安心感を増幅させる効果を持っただろう。二〇二〇年の感染拡大初期に志村けんさんや岡江久美子さんという著名な芸能人が新型コロナで命を落としたことが、多くの人々に強い恐怖心を与えたこととは対極をなす現象だと言ってよい。

また、政府が行動制限をおこなわなかったことがかえって人々の安心感を生んだとも考えられる。それは多くの人たちが無意識のうちに政府を信頼して「行動制限がないのだから安全なのだ」「政府が何も言わないのだから好きにしていいのだ」などと思っていたということだ。政府の無策が安心感をもたらすという一種のパラドックスが生じていた。政府の無策を批判する人たちもいたが、それは新型コロナを自覚的に考える少数者に限られていた。

コロナ禍を扱う報道もめっきり減った。ウクライナでの戦争、物価高騰、安倍晋三氏殺害事件、統一教会問題、防衛予算の倍増など、人々の耳目を集める事柄が多発したことも背景にある。報道されないことはないことと認識される。だからコロナ禍は人々の意識の中からなくなっていった。逆に、テレビや新聞が「行動制限のないゴールデンウィーク」「行動制限のない夏休み」「行動制限のない年末年始」や「三年ぶりの大会」「三年ぶりの祭り」「三年ぶりの忘年会」などと報道したことが人々の楽観のムードを高めた。

二〇二〇年以来の行動制限で疲弊した業界は、感染防止より経済活性化を優先する岸田政権の政策を歓迎した。

何より人々はコロナ禍にほとほと倦んでいたのだろう。元の生活を取り戻したいという思いが新型コロナへの不安より日に日に大きくなった。コロナ禍が「終わってほしい」という願望が、コロナ禍は「もう終わった」というゆがんだ現状認識を生んだのだと思われる。

マスクを外したがらない子どもたち

厚生労働省の発表によれば、新型コロナによる一〇代以下の死亡者数は二〇二三年一月三日現在の累計で五〇人となっている。無視できない数だが、累計六万人の死者の中では極めて少ない数だとは言える。しかし、罹患した子どもの中には痙攣が止まらなくなる「急性脳症」になるケースや頭がぼんやりして思考力が落ちる「ブレインフォグ」などの後遺症に悩むケースなどもあり、感染防止策を疎かにしてよいというわけでは全くなかった。

他方、学校は子どもたちの学習権、生存権、成長権を保障すべき場所であり、その活動は極力継続されるべきものだ。それゆえ文部科学省（以下、文科省）は全国一斉休校の反省から無用な休校をおこなわないよう指導してきたし、頻繁な消毒作業など教職員の負担に比べて期待される効果が薄い対策をおこなわないよう指導してきていた。

マスクの着用については熱中症予防とのバランスをどうとるかが課題だった。学校での熱中症事故は毎年多数起こっていることから、文科省では学校でのマスクの着用についてもすでに二〇二一年四月の通知で、「気候の状況等により、熱中症などの健康被害が発生する可能性が高いと判断した場合は、マスクを外すよう御対応ください」「体育の授業及び運動部活動におけるマスクの着用は必要ありません」と指導していた。政府は二〇二二年五月二三日に新型コロナウイルス対策の指針「基本的対処方針」を改定し、屋内外でマスクを外せる状況を初めて明記し、学校では十分な身体的距離が確保できる場合や体育の授業で着用の必要はないとした。文科省では、プールや体育館での体育の授業や登下校時にもマスクの着用は不要だと繰り返し指導した。

こうした指導にもかかわらず、二〇二二年六月八日には神戸の私立小学校でリレーの練習をしていた児童一二人が熱中症となる事故があり、多くの児童がマスクを着用していたことがわかった。この事故を受けて六月一〇日、文科省は改めて指導を徹底する事務連絡を発出し、「熱中症が命にかかわる重大な問題」だとして「児童生徒に対してその危険性を適切に指導する」とともに「保護者等に対しても理解・協力を求めること」を要請し、「体育の授業、運動部活動の活動中、登下校時（中略）これらの場面においては、特に熱中症のリスクが高いことが想定されることから、熱中症対策を優先し、児童生徒に対してマスクを外すよう指導すること」を求めた。マスクの着用を子どもや保護者の判断に任せるのではなく、説得してでも外させろということだ。

また、マスクの着用が表情を隠すことにより、子どもたちのコミュニケーション能力の育成に支障があるという指摘も専門家からおこなわれ、この点からもマスクを外すことの必要性が唱えられていた。

ところが子どもたちの「脱マスク」はなかなか進まなかった。熱中症よりも新型コロナ感染を恐れる意識が強い子どもや保護者が多かったことが一つの理由だ。毎日新聞が二〇二二年九月に発表した調査では、全国の高校生までの保護者が回答した「マスクを外さしていない理由」のトップは「現在のコロナウイルスの感染力が心配だから」で二九・八％だった。次いで「周りの視線が気になる」が一五・九％、「周りの子どもがマスクを外していない」が一五・七％となっていた。感染力の強い変異株の出現が不安感を与えていたことがわかる。基礎疾患のある子どもや高齢者とともに住んでいる子どもなど、脱マスクに慎重になることが無理からぬケースもあっただろう。

「マスク警察」と言われる現象も起きた。二〇二〇年の一斉休校の際に「子どもはうちから出るな」などという大人の子どもに対する「自粛警察」の現象が生じたが、「マスク警察」は子ども同士の同調圧力だ。七月二日の朝日新聞は次のように報じている。

都内に住む小学二年の男児は、ほかの児童から注意されるのを恐れてマスクを外せずにいる。四〇代の母親は「コロナ禍の二年で、一部の児童が『マスク警察』になっている。教師から外すよう強く指導してほしい」。

埼玉県の小学五年の男子児童は暑い中でもマスクを外そうとしなかった。「友達から浮きたくない」という。三〇代の父親は「マスクが当たり前だと刷り込まれている」とみる。

「顔パンツ」という言葉も生まれた。マスクはパンツのように恥部を隠すものという意味だ。子どもが顔を見せるのを恥ずかしがってマスクを外したがらない現象が生まれた。顔が隠すべき恥部になったということだ。六月三〇日の毎日新聞は「教員の指導でマスクを外しても、恥ずかしがって口元を手で覆ってしまう児童もいる」という足立区教委の担当者の話を紹介している。

子どもが生きる時間の中でコロナ禍の三年は余りにも長く、その影響は大人に対するそれとは比較にならない大きなものだった。マスクの着用は子どもたちにとって、すでに生活文化あるいは基本的生活習慣として定着してしまっているのだ。

学校給食の「黙食」についても、同様の事態がみられた。文科省の「衛生管理マニュアル」では給食時の対応について「会食に当たっては、飛沫を飛ばさないよう、例えば、机を向かい合わせにしない、大声での会話を控えるなどの対応が必要です」と記述されており、もともと「黙食」という言葉はなかったのだが、多くの学校現場では「黙食」が励行されていた。

黙食についてはマスク着用と同様に、コミュニケーション不足をもたらすという問題が指摘されてきたが、二〇二二年一一月二五日に政府の「基本的対処方針」から「飲食は少人数で黙食を基本とする」という記述が削除されたことを機に、文科省は給食時に会話することは可能であることをリマインドする通知を同月二九日に出した。

しかし黙食が日常となった子どもたちには「給食中のおしゃべり」はなかなか戻らなかった。一一月三〇日の東京新聞は、東京都内の小学校に勤務する栄養教諭の女性の言葉として、嫌いな食べ物に一人で向き合う「給食の時間が耐えられない」という声がある一方、「黙食のほうが楽」という児童もいることを伝えている。「マスクに慣れて、顔を見られたくない、という子も多いし…」とのこと。小学三年生の児童の場合は入学してすぐコロナ禍で、おしゃべりしながらの給食の経験は皆無だ。都内で小学二年生の担任をした女性が話す。「ずっとコロナ、コロナと騒がれ、感染の恐怖を感じながら生活してきた。そんな子どもたちに『給食でおしゃべりしても、いいんだよ』と言ってもねえ…。昔のような雰囲気は、すぐには戻らないのでは」。

コロナ禍が蝕んだ子どもの心と体

高校生以下の子どもの自殺者数は二〇二〇年に四九九人とはね上がり、二〇二一年も四七三人と高止まりしていた。二〇二二年の数字は本稿執筆時点で明らかになっていないが、速報値によれば一一月までの累計が三七七人となっており、高止まりは続いている。

新型コロナが子どもに及ぼした影響について国立成育医療研究センターが二〇二一年一二月におこなった調査の結果が二〇二二年の五月に発表されたが、それによると小学五〜六年生の九%、中学生の一三%に中等度以上のうつ症状が見られたという。

摂食障害の一種である拒食症などの「神経性やせ症」も子どもの間に広がった。国立成育医療研究センターが全国約三〇の医療機関を対象二〇歳未満の患者数を調べた結果、新たに神経性やせ症と診断された人数は、二〇一九年度の二〇三人に対し、二〇二〇年度は三一八人（一・五七倍）、二〇二一年度は三二三人（一・五九倍）と増えていた。日本摂食障害学会が二〇二二年五〜七月に調査した結果も同様で、二〇二一年の神経性やせ症の初診患者数は二〇一九年に比べて小学生で二・一〇倍、中学生で一・九三倍、高校生で一・五八倍に増加していた。

子どもの体力にもコロナ禍の影響が顕著に見られた。文科省スポーツ庁が全国の小学五年生と中学二年生を対象におこなった二〇二二年度「全国体力・運動能力、運動習慣等調査」（全国体力テスト）によれば、五〇メートル走や立ち幅跳びなどの八種目を点数化した体力合計点は、小中学校の男女とも二〇〇八年度の調査開始以来最低を記録した。また、肥満の割合は小学五年生の男女と中学二年生の男子で過去最高となった。摂食障害が思春期の女性に多いことを考えると、女子中学生の肥満が増えていないことは頷ける結果だ。

コロナ禍に心を蝕まれたのは児童生徒だけではない。教員もまた心を病んだ。二〇二一年度にうつ病など精神疾患を理由に休職した公立小中高・特別支援学校の教員は、二〇二〇年度より六九四人（一三・四％）多い五八九七人で過去最多だった。休職者も含め精神疾患で一カ月以上休んだ教員は、前年度比一五・二％増の一万九四四人で、初めて一万人を超えた。

東京都教職員互助会三楽病院の真金《まがね》薫子《かおるこ》・精神神経科部長は休職者が急増した理由について「コロナ禍の影響が圧倒的に大きい」と指摘する。朝の手洗いや検温、オンラインなど新しい方法による授業、感染者が出た場合の感染経路の調査と報告……。「学校生活のあらゆる面での対策が教員の肩にかかってきた結果だ」（「朝日新聞」一二月二七日付）。

「学校からのエクソダス」の加速化

不登校はこの一〇年間増え続けているが、コロナ禍はその傾向を加速化した。小中学校の不登校児童生徒数は二〇一二年度に一一万二六八九人（全児童生徒の一・〇九％）まで減ったのだが、二〇一三年度から増え続け、二〇一九年度には一八万一二七二人（同一・八八％）となっていた。コロナ禍が始まった二〇二〇年度は一年で一万五〇〇〇人増えて一九万六一二七人（同二・〇五％）となり、さらに二〇二一年度は一挙に約五万人増えて二四万四九四〇人（二・五七％）となった。中学生について見れば二〇人に一人が不登校となっている。また、学校には通っているが教室には入らず保健室や図書館にいる「隠れ不登校」は、その数倍に及ぶと見られている。

文科省の調査では従来、小中学校における長期欠席について、その理由を「病気」「経済的理由」「不登校」「その他」に分けていたが、二〇二〇年度の調査から「新型コロナウイルスの感染回避」という理由を加えた。学校での感染を心配して学校を休む「自主コロナ休校」とも呼ぶべきケースだ。二〇二〇年度はそれが二万九〇五人だった。「その他」の理由による長期欠席は二万六二五五人で、ほぼ例年通りの数字だった。二〇二一年度はこれらの数字も飛躍的に増加し、「新型コロナウイルスの感染回避」が五万九三一六人（二・八四倍）、「その他」が五万二五一六人（二・〇〇倍）となった。「その他」の中には児童虐待に当たる就学義務違反のケースも少数あると思われるが、大多数は「保護者の教育に関する考え方」を理由とするものだと考えられる。これは学校教育法上の小中学校への就学を拒否して、インターナショナルスクール、オルタナティブスクール、ホームスクールなどで子どもが学ぶケースである。私はこれを「確信的登校拒否」と呼んでいる。

「自主コロナ休校」と「確信的登校拒否」をあわせると一一万一八三二人となり、これを

「不登校」に加えれば三五万六七七二人に達する。三五万人以上が病気と経済的理由（現在はほとんど該当者はいない）以外の理由で長期欠席状態にあるということだ。私はこの「学校離れ」の激増を「学校からのエクソダス（大脱出）」と呼んでいる。

不登校の激増の背景には、小中学生のうつ症状や神経性やせ症の広がりと同根の状況があるだろう。学校生活に息苦しさを感じる子どもが増えたということだ。もう一つの事情として考えられるのは、コロナに起因する休校や学級閉鎖が頻繁におこなわれたことにより、学校を休むことへの抵抗感が薄れたということだ。

もしも学校へ行くことが死にたくなるほど苦しいことであるのなら、そんな学校へ行ってはいけない。子どもの権利条約第三一条は「休息及び余暇についての児童の権利」を定めており、二〇一六年一二月に制定された教育機会確保法一三条は「個々の不登校児童生徒の休養の必要性」を謳っている。子どもにとっては学校を休むことは当然の権利である。文科省も教育機会確保法制定後に不登校に対する姿勢を改め、学校復帰第一主義と決別して、不登校への指導の目標を「学校復帰」ではなく「社会的自立」に置くようになっている。

しかし、子どもたちに逃げ出されている学校の側は、この状況を等閑視していてはいけない。学校が忌避されているのである。学校のあり方が問われていることを深く自覚すべきである。

「体験格差」の拡大

コロナ禍の三年は子どもの人生にとっては極めて長い時間だ。この三年、子どもたちは様々な体験の機会を奪われた。運動会、文化祭、修学旅行など様々な学校行事が中止された。しかし、政府が行動制限をしなかった二〇二二年度は、全国の多くの学校で学校行事が復活した。「BA・5」株が猛威を振るう中で行事がおこなえるのなら、実はこれまでもおこなえたのではないか、新型コロナの客観的なリスクと政府の行動制限との間には、実際には合理的な対応関係はなかったのではないか、という疑問は当然湧く。

公益財団法人「日本修学旅行協会」によると、東京都内の公立中学校約六〇〇校のうち二〇二〇年度は大半が修学旅行を中止した。二〇二一年度は約二五〇校が実施。二〇二二年度は五月の時点でほぼ全校が実施を予定していた。五月七日にはJR東京駅で新幹線の専用列車で修学旅行へ出向く関東の中学生の「出発式」が三年ぶりに開かれた（「毎日新聞」夕刊、二〇二二年五月七日付）。

「三年ぶり」の行事に喜ぶ子どもの声は新聞の投書欄にも現れた。東京都武蔵村山市の中学三年生・小比類巻咲那さん（一四）はこう書いている。「中学校での三年間の行事は少なかった。（中略）三年生になってやっと宿泊行事がやってきた。私はとてもうれしかった。久しぶりに友だちと『わいわい』できて、とても楽しかった」。そしてこう結んでいる。「私はコロナの影響で、今までより半分しかできることがなく、少し足りない三年間だったと思う」（「東京新聞」二〇二三年一月六日付）。

埼玉県の高校二年生・岡田佳憐さん（一七）は「この秋、私は京都、奈良へ修学旅行に行った。中三の修学旅行も、高一のオリエンテーション合宿も中止になった私にとって、三年ぶりの宿泊行事となった」と書いている。「青春の多くが奪われている」と言う彼女は、この修学旅行も「あっさり中止になるのだろうと覚悟していた。だがなんとGOサインが出たのだ」と率直な驚きを述べる。そして「宝物と思える時間を過ごせた私は幸せ者だ」「二年間我慢し、制限の多い生活を過ごしたことで、私は物事の一つひとつに感謝できる人間に成長できたと思う」と自身を振り返っている（「朝日新聞」一二月三一日付）。

自分たちは「コロナ世代」――。リクルート進学総研が、全国の高校生を対象に実施した意識調査で「自分たちの世代の名前」を尋ねたところ、新型コロナに関係した回答が最も多かった。自分たちの世代の名前を自由に記述してもらったところ、「コロナ大打撃世代」「コロナによって青春が奪われた世代」などが挙がり、「コロナ世代」とまとめられる回答が一〇・七％で最も多かった（「朝日新聞」夕刊、一二月八日付）。この世代は、コロナ禍のために体験活動、交流活動、コミュニケーションの機会などを奪われた。その意味で前後の世代との間で大きな格差を負う特異な世代となるだろう。

子どもの貧困の問題の一つに「体験格差」がある。公益社団法人「チャンス・フォー・チルドレン」が一〇月におこなった調査によると、年収三〇〇万円未満の低所得世帯の小学生のうち二九・九％が直近一年間、習い事や旅行などの体験活動を何もしていなかった。対して、年収六〇〇万円以上の世帯では一一・三％だった。体験をさせられなかった理由を複数回答で聞くと、年収三〇〇万円未満の世帯では「経済的余裕がない」が最多で五六・三％だった。対して、年収六〇〇万円以上の世帯で最多だったのは「時間がない」だった。（「東京新聞」一二月一六日付)。

公立学校において特別活動としておこなわれる運動会、文化祭、遠足、修学旅行や課外活動としておこなわれる運動部活動や文化部活動には、家庭の経済的事情にかかわらずすべての子どもに一定の体験活動の機会を保障する機能がある。コロナ禍が学校から奪ったのはまさにその機能であった。コロナ禍の下でも余裕のある家庭では習い事を続けたり、自家用車で旅行に行ったりすることができた。結果として子どもたちの間の「体験格差」が広がったということが言えるだろう。

子どもの貧困にはお金で解決できる部分とお金だけでは解決できない部分がある。「体験格差」はお金だけでは埋められない格差だ。日本の政府はお金で解決できる部分への施策が極めて貧弱であるが、お金で解決できない部分への施策はさらに弱く、子ども食堂、無料塾、フリースクール・フリースペースなど地域住民やNPOの取り組みにほとんど委ねていると言ってよい。子どものためにもっとお金と人が必要だ。

プーチンのウクライナ侵略を奇貨として中国の脅威を煽り増税も辞さない大軍拡に踏み出す一方で、「異次元の少子化対策に挑戦する」(岸田首相、二〇二三年一月四日年頭記者会見)などと大言壮語し、「こども家庭庁」という「箱」だけ作って「やってる感」だけを醸し、子ども施策の具体策やその財源は全く示さない岸田政権には、ほとんど何も期待できないと言わざるを得ない。

(二〇二三年一月一〇日)

［経済］

『コロナショック・ドクトリン』後のコロナショック・ドクトリン

松尾　匡

松尾　匡（マツオ・タダス）

1964年、石川県生まれ。立命館大学経済学部教授。専門は理論経済学。神戸大学大学院経済学研究科博士課程修了。論文「商人道！」で第3回河上肇賞奨励賞を受賞。著書『この経済政策が民主主義を救う』（大月書店）、『ケインズの逆襲 ハイエクの慧眼』（PHP新書）、『左翼の逆襲』（講談社現代新書）、編著に『「反緊縮！」宣言』、共著に『そろそろ左派は〈経済〉を語ろう』（以上、亜紀書房）、『資本主義から脱却せよ』（光文社新書）、『コロナショック・ドクトリン』（論創社）など多数。

1　拙著『コロナショック・ドクトリン』で述べたこと

筆者は、これまで五冊にわたる「定点観測」シリーズで、中小企業・個人事業の淘汰推進を中心とした、コロナ禍を奇貨として進められる新自由主義改革について紹介・分析してきた。そして昨年（二〇二二年）九月には、これらの拙稿をまとめて、本書の版元である論創社から『コロナショック・ドクトリン』と題して出版してもらった。

そこで述べたことをまとめると次のようになる。

◆日本の支配層は「輸出で稼ぐ国から海外で稼ぐ国へ」と称して、人口減少のもとでの日本資本主義の生き残り策を、生産拠点を東南アジアなどへ移す海外進出路線にみいだしている。

◆それにともない国内に残す業態として想定されているものの大半は、貿易できないサービス業である。これは、非正規の低賃金労働によって担われている。

◆それ以外で国内に残すものは、「生産性」の高いとされる高付加価値産業である。そのひとつは、格差社会に対応した内外の富裕層向けのビジネスである。農業も富裕層向けの輸出産業に転換させようとしている。もうひとつは、「デジタル」と「グリーン」をしばしば二本柱にあげる、「高度」とされる、主に非製造プロセスの分野である。これらを担う中核的な労働者は、あまり低賃金というわけにはいかないので、「高度プロフェッショナル制度」で残業代を出さずに労働させるしくみを拡張させていって、国際競争力をつける。

◆これ以外のものは「比較優位を失った」「旧来型産業」として淘汰する。特に、「生産性が低い」とされた中小企業・個人事業がそのターゲットとなる。

◆こうした産業構造の転換をスムーズに進めるために、終身雇用制などをなくして雇用の流動化を進める。

◆大衆向けの生産物は、割高な国内生産や個人商店を淘汰して、海外の安い賃金で作って円高で安く輸入し、さらにスケールメリットのある全国チェーンで激安で売ることで、非正規の低賃金労働者でも生活できるようにする。

◆このためには円高が必要なので、財政均衡と金融政策「正常化」が目指される。財政削減と円高で中小企業・個人事業の淘汰はさらに進む。

◆海外進出企業を守るために、TPP（環太平洋パートナーシップ）やRCEP（地域的な包括的経済連携）のような東アジアの地域協定で投資保護体制を作り、さらには自衛隊の派兵への制約を緩めていく。

◆消費税の引き上げは、円高実現のための財政均衡を目指す意図もあるだろうが、直接には中小企業・個人事業の淘汰推進のために役立ってきた。

◆コロナ禍は、以上の路線を目指す体制側ブレーンたちから、中小企業・個人事業の淘汰推進のチャンスとみなされた。そのため彼らは、支援をなるべく限定し、なるべく早く打ち切るよう、再三にわたって提言してきた。

◆以上の、菅政権下で典型的に推進された淘汰路線に対して、二一年から経産省が、安全保障上重要とされる製造業の国内回帰を積極財政で目指す路線を対置しはじめた。これは、対外進出による経済勢力圏志向は上記路線と共有するが、政府が天下り的に目的を設定する裁量的資源動員を志向し、財政赤字をいとわず、国内回帰のために比較的円安を望む点が異なっている。

◆菅前首相や財務省は前者の路線で、自民党総裁選では河野太郎氏がその継承を主張した。対する経産省の路線は安倍元首相がつき、高市早苗氏の総裁選公約になった。岸田政権下で両路線は引き合いを続けたが、首相自身は当初両路線のバランスの上に立ち、安全保障上重要とされた一部の産業が、淘汰を免れる育成対象に加わることが当面の妥協と思われた。

◆維新の会は両路線の「悪魔合体」として躍進することが危惧される。

◆岸田政権下の経産省路線の大きな動きとしては、早々に経済安保法を成立させていることがあげられる。

◆他方、旧菅政権型路線の動きとしては、財政再建を掲げる国民負担を打ち出し、新たな日本銀行（日銀）審議委員に引き締め派を据えたことがあげられる。民間では、財界が常連政府ブレーンらを動員して「令和臨調」を立ち上げる動きを見せた。

拙著の書名は、こうした一連の動きを、ナオミ・クラインが「ショックドクトリン」と名付けた惨事便乗型改革のコロナショック版ととらえてタイトルに掲げたものである。

以上のように簡単にまとめてしまうと、人を人と思わぬ戦略ビジョンの、あまりの「美しさ」にかえって飲まれる読者がでてしまうかもしれない。筆者もこの問題に取り組むたびに、この国の最高級の頭脳のコミュニティと闘うには、自分の力能の乏しさを痛感して鬱々とする思いをしつづけてきた。

未読の読者におかれては、ぜひ前掲拙著か本書シリーズの既刊本の拙稿をご検討いただき、とても「美しい」とは言っていられないコロナショック・ドクトリンの悪辣さや、その元で苦しめられる庶民の実態の一端を感じ取っていただきたい。

本稿では、前掲拙著刊行後のコロナショック・ドクトリンの進展を見ていく。

2　令和臨調発足大会での淘汰路線要請

この令和臨調についての後日談から本稿の報告をはじめよう。

二〇二二年六月一九日に「令和臨調（令和国民会議）」の発足大会が開かれた。大会では、共産党も含む主要な与野党の代表を呼びつけ、あらかじめ送った質問書に基づき意見を言わせている。その最初の岸田首相のスピーチのあと、令和臨調の共同代表であるキッコーマンの茂木友三郎氏が、真っ先に次のような質問をしている。

「私は、日本経済活性化のために、一番大きな必要なものは、経済の新陳代謝をもっと促進することだと思っています。（首相が言うような）スタートアップを育成するということも、その重要なファクターになるというのですが、やはり問題は、市場から退出する企業をうまく指導できるかどうかということ。これが非常に重要な問題であって、今まで、わりあい政府がみんな助けちゃうという感じでやってこられたと思う。

ですけども、企業の中には、もちろんこれからどんどん伸ばさないといけない企業もあるけれども、しかし、市場の中で競争力を失った、役割を失った企業というのもあるわけです。このへんメリハリをつけて政府がお助けになるということが必要になってくる。市場から退出する企業をどうやって導いていくか、これが一番難しい課題です。しかもかなりセーフティネットを張らないと、失業者なんかも出てまいります。

そのへんがなかなか難しくて、経済の新陳代謝も進まなかったというところがあると思うのです。ベンチャーのいいところはどんどん育てながら、しかし市場から退出する企業をどう指導なさっていくのかというところ、このへんについてうかがいたいと思うんですね」

これがこの会のリーダーが口火を切った最初の言葉であるところに、令和臨調の存在理由が如実に表れていると思う。つまり、弱小な中小企業・個人事業を淘汰していくという旧菅政権が志向した路線を、これからもしっかりと推進するよう、大声で圧力かけていくぞという宣言である。

なお、こうした旧菅政権時代の国内更地化路線を、「定点観測」シリーズの前回までの拙稿の中では、菅義偉氏と彼の側近ブレーンの名を冠して「菅＝アトキンソン路線」と呼んできたが、政権が代わって菅氏もアトキンソン氏もすでに第一線の人ではなくなっているので、以下では「旧菅政権型路線」と呼ぶことにする。

さてこの茂木共同代表の質問に対して、岸田首相は、次のように答えた。

「最近の退出の仕方は、単なるいわゆる従来型の退出ではなくて、スタートアップした新しい企業家のみなさんも、新しい技術やイノベーションによって、社会から評価されて企業を大きくしたあと、かならずしも、今までのパターンで上場を考えて企業を大きくし、その先を考えるというのではなくて、大きくなった企業自体を売買する形で、次の事業に取り組む。そういった形の新陳代謝もどんどん増えていると思います。

やはり時代の変化に応じた退出のしかたというのが出てきている。多様化していると感じます。そういった前向きな退出の仕方も、しっかりと後押しできるような政策や環境が必要なのではないか」

つまり、中小企業・個人事業が、内外の大企業に買収されるという退出方法を広げていくというのである。これも、アトキンソン氏ら菅氏ブレーンがさかんに提唱していたことで、菅政権時代に成立した産業競争力強化法制の改正が狙ったのは、こうしたM＆Aの促進だった。ここで岸田首相は、ベンチャー起業家が、立ち上げた企業が軌道に乗ったら企業ごと売って大金を手にして、また次の起業に乗り出すというような明るいイメージの語りぶりをしているが、菅政権時代に主に想定されていたのは、中小企業をコロナ下の淘汰路線で身売りに追い込むことにほかならない。

もちろん首相がそんなことを大会の場で公然と言えるはずはないし、ましてや潰して退出させることを言えるはずもないが、茂木共同代表が求めていたのは、「セーフティネットを張らないと、失業者なんかも出る」というような血の出る退出である。これから令和臨調でどんな議論がなされるか、悪い意味で目が離せない。

3 資産所得倍増プランと自衛隊の企業防衛派兵

株価下落におびえて派兵支持の世論に？

それから、前掲拙著では、本書シリーズの拙稿にはなかった「あとがき」を書き下ろしている。本書シリーズの拙稿に目を通していただいている読者でも、まだ前掲拙著をご覧になっていない方もいると思うので簡単に説明すると、そこでは岸田首相が「貯蓄から投資へ」のスローガンで打ち上げた「資産所得倍増プラン」を取り上げている。

もちろんこの件の真意は、社会保障抑制の中で年金などに公金をまわす余裕がなくなってくるので、自分で資産運用をして老後に備えろということである。

ここで筆者は、政府側の思惑通り国民がこぞって株式投資で老後資産運用をはじめたらどんなことが起こると考えられるか、ひとつの可能性を指摘した。

もうかる日本株は、東南アジアなどに進出して利潤をあげる企業の株になるだろう。すると進出先工場で激しいストライキが起こって現地駐在員が監禁されて吊し上げられたり、武装勢力が付近を占拠したり、革命が起こって進出先工場が強制接収されたりしたら、老後の頼みの株価が下がり、場合によっては紙切れになる。そうすると、「日本人の生命財産を守れ」と称して自衛隊を派兵することに、世論の支持がつくかもしれないのだ。少なくとも、そうした世論操作がしやすくなることは間違いない。

特に、本来、どんなに現地民衆の内在的原因に基づいた革命運動でも、多かれ少なかれ外国勢力の思惑による工作は探せばあるものなのだが、このような事態が起こると日本の右派が中国政府の工作を嗅ぎ取って騒ぎ立てることはあり得ることである。そうなると、株価を心配する本音はともかく、自分でも大真面目に国家安全保障上の脅威を言い立てて、自衛隊の派兵を求める世論が沸き立つ可能性がある。

経済同友会による企業活動邦人の防衛のための派兵の提言

すでに二〇一三年四月に、経済同友会は「『実行可能』な安全保障の再構築」と称する提言の中で次のように言っている。

企業活動のグローバル化に代表されるように、国民の安全・財産は、日本の領域内のみにとどまるものではない。自ら選択して海外に出る以上、安全確保のための方策を自ら講じることは、個人・企業の別を問わず当然の責任であろう。その一方、非常事において、国民の安全や権利を守ることは、国家の究極的な責任であると考える。（中略）
具体的には、自衛隊の活動の範囲に関する個別具体的な議論に先立って、まず、日本の領域外における国民の保護を、国としての自衛の対象と見なすか否か、その姿勢を明確にすることを求めたい。その上で、そうした判断を起点に、国際的に共有される規範や外交手続きに則り、真に実効性ある対策が講じられるよう、体制整備が進められることを期待する。
（「『実行可能』な安全保障の再構築」七頁）

ここで、保護の対象とされる日本人の活動は、真っ先に「企業活動のグローバル化」とあがっているとおり、企業活動であって、観光や留学ではない。それは、さらに先立つ二〇一一年に同会が出した提言、「世界構造の変化と日本外交新次元への進化」における同様の主張ではっきりと示されている。

今後、新興国のような高い経済成長が期待できない日本にのみ活動の場を求めるのではなく、広く世界に活動範囲を広げていきたいと考える日本人・日本企業が今後は一層増えてくることが想定される。

日本人の国際進出を視野に入れたとき、有事における在外邦人保護に向け、日本が対処能力、法的基盤を整備していくことは不可欠である。

（「世界構造の変化と日本外交新次元への進化」一七頁）

要するに、もうけを求めて新興国などの外国に出ていった結果、激しいストライキでの監禁吊し上げや、武装勢力の占拠や、革命での強制接収といったしっぺ返しを受けたならば、自衛隊を送って日本人を保護できるように、きっちり体制整備しろと言いたいのである。

昔も今も、発展途上国に経済進出した列強は、自国民の保護を目的（口実）にして軍隊を送り、支配下においたのである。レーニンの『帝国主義論』でも言っている。資本の集積集中が行き着いて市場支配力のあるごく少数の巨大資本に市場が牛耳られると、本国内では利潤を維持できる投資機会が乏しくなるために、発展途上国に「資本輸出」（企業進出）するようになる。それを軍事力で保護するために帝国主義政策がとられるようになるのだと。経済同友会の言うとおり、人口減少で国内に投資機会が乏しくなって海外に企業進出している現代日本も同じである。まさしく帝国主義の勧めなのである。

海外の経済支配のための制度整備

すでに前掲拙著や本書シリーズの既刊本の拙稿で述べているように、国際協定や法制度によって、日本企業による海外の経済支配を確立するための制度整備が次のように進んでいる。

TPPはアメリカ抜きの、日本一国が先進国として突出する協定として発足したが、内閣官房のTPP政府対策本部のサイトでは、TPPの中の、進出企業が現地政府を訴えることができるようにするISDS（投資家対国家の紛争解決）条項について、「海外で活躍している日系企業が、進出先国の協定に反する規制やその運用により損害を被った際に、その投資を保護するために有効な手段のひとつになる」と書いている。

RCEPでは、企業の進出先国が企業に技術移転を要求することは禁止するとか、企業の進出先国が本社に払うロイヤリティを規制することは禁止するとかの規定がある。

二〇二一年の銀行法等「改正」でも、「海外で稼ぐ力」の強化と称して、日本の銀行が買収した外国金融機関の子会社はそのまま保有していていいことになった。

しかし、どれだけ制度を整えても、最後にものをいうのは実力である。

邦人保護のための派兵の法制度化の拡大

以上で述べた経済同友会の提言を受けたものなのだろうか。二〇一五年の安保法制の大量の「改正」事項の中に、在外邦人の救出等の規定を新設し、その任務遂行のための武器使用を可能とする自衛隊法「改正」案が入っていた。そして集団的自衛権をめぐる激論に紛れて、世論であまり議論になることなく成立してしまった。外国で緊急事態が起こって日本人および特定の外国人の生命や身体の安全が脅かされたときに、自衛隊が保護するというもので、このとき任務の実施を妨害する行為を排除するための武器使用が認められている。

その後、二〇二一年のアフガニスタンのタリバンによる制圧時の邦人退避で、自衛隊機派遣の初動が遅れたとされ、また、日本大使館で働いていた現地人スタッフの多くを自衛隊機で退避させられなかったことを口実に、昨年二〇二二年四月、さらなる自衛隊法の改正がなされている。派遣要件を、「輸送を安全に実施することができると認めるとき」というそれまでの規定から、「危険を避けるための方策を講ずることができると認めるとき」と緩和し、また、対象者が外国人だけになってもなお自衛隊機に乗せられるようにした。

もっともこれはあくまで、退避者の輸送業務のための自衛隊派遣の要件が緩和されたということである。輸送業務を超えて、外国領土の中に入り込んで武器使用して邦人保護の活動をするためには、現在、①当該地域の安全を現地の当局が確保し、戦闘行為がおこなわれることがないこと、②武器使用を含む自衛隊の活動について、領域国が同意していること、③当局との連携が見込まれることの三要件が必要とされている。

この三要件について、高市早苗氏は、二〇二一年末の予算委員会での質問において、アフガニスタンでは政権が崩壊して三要件が満たせないから、単なる輸送業務しかできなかったとして、「安全が確保されて、戦闘行為がおこなわれることがない地域であれば、自衛隊が武器を携行して日本人を助けに行く必要はございません。むしろ、危険な地域、戦闘行為が始まった地域、政権が崩壊した国に取り残された日本人を日本政府が救出するための法制度整備が完成していないということが問題でございます」と述べ、見直しを首相に迫っている。

この見直しが実現されたらいよいよ、進出企業を占拠する民衆を武力で排除したり、政権崩壊後の接収から企業を奪還して旧秩序を戻すべく革命勢力と交戦したりするために、自衛隊が使えるようになる。

敵基地攻撃能力で人意を超えた弾みがつく危険

「資産所得倍増プラン」は、二〇二二年五月三〇日の「経済財政運営と改革の基本方針二〇二二（仮称）」の中で打ち出されたものだが、一一月二八日の新しい資本主義実現会議で決定された。

筆者は、首相たちが意図的に帝国主義への世論の賛同を作りたくて、こうしたことをしていると言いたいわけではない。中身を見れば、意識しているのは、自民党のスポンサーに応える資産家優遇策とか、先述のとおり社会保障削減のための自助努力奨励策とか、ということだろうと推測できる。しかし大きな流れの中に置かれると、個々の要素が互いに人意を超えた累積的なフィードバックをもたらして、流れに弾みをつけていくことはよくあることである。とりわけ現在岸田政権が全力で進めているように、自衛隊が「敵基地攻撃能力」をつけて、外国に殴り込める力を備えたならば、この弾みがつくことに歯止めはなくなる。

4　旧菅政権型路線への重心転換で相次ぐ大衆負担増の策動

安倍元首相暗殺と円安で旧菅政権型路線優位に

さて、前稿以降で起こったことの中で最も大きい出来事のひとつは、安倍晋三元首相の暗殺であろう。安倍元首相は、経産省路線の重鎮として、高市早苗氏らこの路線の主導者を支えてきた。

もとよりインフレと円安の進行は経産省路線への逆風となっていた。範となったアメリカの「高圧経済政策」は、現地ではそのあまりに早い成功ゆえに撤回され、今やインフレ抑制のために景気を冷ますのにやっきになっている。

そんな中での安倍氏の急死は、その後の一時一ドル一五〇円を超える円安への危機感も相まって、政府・自民党内での旧菅政権型路線と経産省路線との引き合いを、決定的に旧菅政権型路線優位に変えたように思われる。安倍氏の逝去後まもなく、旧統一教会と政治家との癒着の問題を理由になされた内閣と自民党役員の改造で、高市早苗氏が政調会長をはずされて所轄省庁なく入閣した、事実上の降格人事はその号砲だったと言える。

思えば、二〇二二年秋に総合経済対策が二五兆円規模で検討されていたとき、自民党内からの圧力で結局二九・一兆円まで膨らませたことが、経産省路線の積極財政派の当面の最後の力だったかもしれない。もろもろ合わせた財政支出は三九兆円ということになっている。これは、示された総額こそ景気を回復させて完全雇用を実現するためにはまあまあの規模だったが、中身を見ると実は総需要の拡大にはつながりにくそうなものも多い。何よりも民衆の生活のための支出はあまりに少なすぎる。

そして、こうやって支出を増やすこと自体が、旧菅政権型路線の側にとって増税などの大衆負担を拡大する口実となったとも言える。同じ頃に、イギリスのトラス内閣が、右派なりの赤字財政政策を打ち出して国際ブルジョワジーに叩き潰され、新自由主義回帰派のスナク内閣ができたことも、旧菅政権型路線側が大衆負担増を持ち出す後押しとなっただろう。

続々打ち出される大衆負担増加策

すでに「定点観測」シリーズ第四弾で筆者は、「一定の景気回復がなされれば、大衆に回復感があまりない段階で、財政再建派が勢いをつける可能性が高い。政府債務の膨張を口実に、緊縮・社会保障削減、消費税率のさらなる引き上げなどが論議にのぼるだろう。両路線の妥協の上に揺れてきた岸田首相は、こうなると大きく比重を変化させてこうした論調に乗る可能性がある」と書いた。その後、同シリーズの前稿では、実際に岸田政権が続々と大衆負担増を打ち出しはじめたことを報じた。特に、そこで触れたインボイス制度も一〇月に予定どおり導入の見込みで、中小企業・個人事業淘汰の新たな武器になりそうである。

そしてその後、打ち出されているのは、息をもつがせぬさらなる大衆負担増加策の嵐である。筆者もいちいちチェックしているわけではないので、漏れているものも多々あると思うが、目についたものを順不同であげてみよう。

◆厚労省が、七五歳以上の後期高齢者医療制度で、年間の保険料の上限額を、二〇二五年度までかけて、六六万円から八〇万円まで段階的に引き上げる方針。一二月一三日に自民党の委員会で。

◆一〇月二六日政府税調で「道路利用税」が提案された。財務省は二三年度の税制改正で課題として検討する。

◆エコカー減税の燃費基準を二四年から段階的に引き上げることを、二三年度与党税制改正大綱に盛り込む。

◆すでに二二年度から五年未満の退職金について税金の軽減が縮小されているが、一〇月一八日の政府税調では、退職金課税を勤続年数に関係なく一律にするべきだとする意見が出された。

◆厚労省が一〇月三一日に、社会保障審議会介護保険部会で、一定の所得がある六五歳以上の高齢者が支払う介護保険料の引き上げを検討する案を提示。

◆九月二六日から始まった厚労省の社会保障審議会では、介護保険の利用者負担について、二割、三割負担の対象者の拡大や、将来的には原則二割負担とすることが検討された。要介護一、二の人の訪問介護やデイサービスは国の介護保険サービスから切り離すことも検討される。

◆財務省は七月二六日、国民健康保険で、一カ月当たり八〇万円を超える高額な医療費が発生した場合に超過部分の一部を国が負担する制度について「廃止に向けた道筋を工程化すべきだ」とした。その場合その分は都道府県の負担となるが、負担に耐えない都道府県では、自己負担上限の引き上げや、地方税の引き上げに追い込まれると見込まれる。

軍事費倍増で増税・流用

さらにご存知の通り、岸田政権は軍事費倍増を打ち出し、増税でそれをまかなおうとしている。兵器を外国から買っても、GDPも雇用も増えはしない。その分については増税すれば景気の押し下げ効果だけがあり、中小企業・個人事業はいっそう苦しむだろう。増税・淘汰好きの財務省＝旧菅政権路線と軍備大好き経産省＝高市路線の「悪いとこ取り」である。

その「財源」のひとつとしては、復興特別所得税の半分が当てられる案が出されている。被災地は復興まだ道半ばでコロナ禍に見舞われたというのに、やはりこれで予算が削られることとなっては、中小企業・個人事業の淘汰が進むだろう。

「防衛力強化資金」なるものも作って、新型コロナウイルス対策費の使われなかった分をあてるそうである。二〇二三年一月六日には、コロナの一日の死者数が過去最多と報道された。使われていないならば、効果的に使うようにシステムを組み直すべき時だ。それをラッキーとばかり軍備のために召し上げていくようでは、人流制限をしなくても、繰り返す感染流行の中でやはり外食や娯楽は自粛に向かい、ここでも中小企業・個人事業の淘汰が進むだろう。

そもそも五年がかりや一〇年がかりの計画で軍拡しても、完成した頃にはプーチン政権はもうなくなっているだろう。中国共産党政権も存続しているか怪しい。格好の攻撃目標となる原発の再稼働・新設を目指し、占領されれば国民管理に使われるマイナンバーを推進しながら、本気で中国と戦争するつもりとも思えない。本人たちが台湾有事への対応を考えているのはたしかに本心ではあろうが、少なくとも客観的機能としては、企業の対外進出・国内淘汰が進む中で築き上げられた大軍事力は、アジアにおける日本企業の経済支配を保障するための実力として大いに機能するに違いない。

消費税再引き上げの動き

そして今や、消費税の再引き上げの話もでてきた。二〇二二年一〇月二六日に開催された政府の税制調査会（税調）で消費税について、「未来永劫、一〇%のままで日本の財政がもつとは思えない」「今後の高齢化の進展に合わせて、遅れることなく、消費税率の引き上げについて考えていく必要がある」といった意見が相次いだと報道されている。

一二月一三日には、経済同友会の桜田謙悟代表幹事が、防衛費増額の「財源」について、法人税を増税する動きがあることを批判し、「消費税的なもので国民全体があまねく負担すべきだ」と述べた。同会はすでに、二一年五月一一日に、消費税を段階的に一九%まで引き上げる必要があると提言している。

そして二三年一月六日、自民党税調の幹部である甘利明・前自民党幹事長は、岸田首相が打ち出した「異次元の少子化対策」の「財源」について、「将来的な消費税率の引き上げも検討の対象になる」と述べた。

消費税率が一〇％に上がったあとも、コロナ前から景気は後退し、倒産が増加した。インボイスで非課税業者が課税業者になるよう追い立てられた上に、さらに消費税率が上がったら、いったいどれだけの個人事業者が生き残れるだろうか。

コロナ流行続く中で支援金打ち切り・病床削減

こうした緊縮・大衆負担増加策が打ち出される中だから、当然、コロナ関係の事業支援金は打ち切られている。持続化給付金以来、期限がくるたびに名前が変わって難しくなっていった支援金は、最後は「事業復活支援金」という名前になったが、二二年六月で申請が打ち切られている。コロナの波はまだ続き、死者は増え続け、多くの業界でコロナ前の客足に戻っていないのに。

実際、二三年一月六日には、コロナの死者数の増加は過去最速ペースだと報じられているくらいである。それなのに、『赤旗』の二二年一〇月四日の記事によれば、新型コロナウイルス感染症対応の中心となる急性期病床などが、二一年度分で二七七〇床の削減となり、これを誘導するために消費税を「財源」とする補助金が使われたそうである。こうした病床削減事業は「病床機能再編支援」と称されているが、令和五年度の予算案にもしっかり組み込まれている。

5　日銀の政策転換で淘汰爆進へ

円安に逆らって中小企業の海外進出担当室

さて、本稿の冒頭掲げたような旧菅政権型路線のビジョンにとっては、円高で生活物資を安く輸入できることは、体制維持にとって必要不可欠である。その意味で、二〇二二年に見られたような円安は、彼らにとっては許し難いことだったに違いない。

岸田政権は円安を受けて、先述の総合経済対策でも「円安を活かした地域の「稼ぐ力」の回復強化」と称して——ただし、旧菅政権路線で重視されたインバウンドや高級農畜産物輸出もここぞとばかりあげつつ——掲げているように、経産省路線風の国内回帰策を口にしてはいる。

しかしその一方で、円安が進むさなかの二二年八月一日には、その流れに逆行するように、国内の中小・中堅企業の海外進出を支援するため「海外ビジネス投資支援室」を設置した。これを報じた日経の記事によれば、「進出する候補地の紹介や販路開拓、資金調達を一括で支援し日本企業の海外での収益向上につなげる」とのことである。中小企業庁あたりの施策を強めるレベルのことではなく、内閣官房直々に、経産省や総務省などの省庁や政府系機関から出向者を集めて遂行するというのだ。

だから長期的なグランドデザインとしては、国内企業を海外に追いやる路線に変わりはなく、円安はなんとしても一過性のものに終わらせなければならないのが彼らの立場なのである。

財政均衡志向はそのためだし、さらに、現行の異次元金融緩和もなるべく早く終わらせなければならないということになる。「定点観測」シリーズ第五弾の拙稿では、岸田政権が緩和派の日銀審議委員の任期が切れたのと交代に、新しい審議委員として引き締め派を据えたことを報じた。そして、それが二三年春の正副日銀総裁の任期切れに際して、引き締め的な人物を後任に据える意向の反映なのではないかと論じた。

円安ピーク終わっての事実上の利上げ

はたしてその後、日銀は二〇二二年一二月の政策決定会合で、長期金利の変動幅を拡大し上限を〇・〇五％にする決定をおこなった。

日銀は、「長短金利操作付き量的・質的金融緩和」の枠組みのもとで、年限一〇年の長期金利をおおむねゼロ％に抑えるように一〇年ものの国債を買ってきた。これが、インフレ抑制のために金利を上げ続けるアメリカとの金利差を広げて円安進行の原因になっていると批判を受けてきた。

しかし、利上げは景気加熱を冷やすことでインフレを抑える政策である（アメリカの雇用拡大の勢いが強ければ利上げ観測が増し、雇用の伸びが鈍ければ利上げ観測が後退することからもそのことはわかる）。日本はアメリカのような景気加熱とは程遠い。日本で金利が上がれば円安は止まるが、そのことによるコスト減少よりも景気を冷やすことで売り上げが抑えられる効果のほうが大きいので、特に中小企業にとって打撃が大きい。この間の停滞する日本経済のもとで、はじめから利上げにつながる政策はとれるはずはなかった。

それが、アメリカで、相次ぐ利上げで景気後退観測が高まり、将来の利下げを織り込んで長期金利がピークを打って低下をはじめ、それに合わせて円安の進行もストップして円高方向に向かって動き出した。この動きは一時的な逆行はあるかもしれないが、もはや基本的な流れになっている。そのあとになって、今さら日銀が事実上長期金利を引き上げるような決定をしたのである。

この決定自体は、市場で一〇年金利が九年の金利よりも低いという異常事態が起きているので、金融緩和の持続性のためにそれを是正するという、至極当然の理由でなされている。正常に市場が機能していれば、年限の短い金利ほど低くなるはずだから。しかしそれならば、もっと年限の短い三年ぐらいの国債の買い入れを増やして、短い年限の金利を下げる操作もするべきである。実際には、この決定後、一〇年金利は新しい上限に張り付いて、それを超えてすらいるのだが、もっと年限の短い金利も引きずられて若干上昇してしまっている。特に、三年前後の金利の上昇は次の点から心配である。

膨れ上がった中小企業債務の返済期迫る

コロナ禍での倒産は抑えられてきたが、それは「ゼロゼロ融資」(実質無利子・無担保融資)をはじめとした「コロナ融資」によるところが大きい。その裏面として、中小企業・個人事業者の債務がかつてなく膨らんでいる。

東京商工リサーチが二〇二二年一二月におこなった「過剰債務に関するアンケート調査」によれば、約三割の企業、中小企業では約三分の一が過剰債務と答えている。中小企業庁の二二年六月の報告「ウィズコロナ・ポストコロナの間接金融のあり方について」によれば、中でもゼロゼロ融資の融資実績は、二二年度末までに政府系で約一八兆円、民間で約三七兆円に達するという。

この返済が二三年五月ごろから始まる。同庁金融課が二二年一二月の金融小委員会に出した事務局説明資料によれば、ゼロゼロ融資の返済開始時期は二三年七月から二四年四月に集中する見込みとのことである。『日経ビジネス』二二年九月二六日号の記事では、ゼロゼロ融資を受けた中小企業の経営者の七四・六％が返済に不安を抱えているとの「PMGパートナーズ」のアンケート結果を紹介している。

すでに、東京商工リサーチの二三年一月一三日の記事によれば、ゼロゼロ融資を受けた事業者の倒産が、二二年は前年比四倍の四五二件に達したという。特に飲食店が多いということである。現在もコロナ流行の波ごとに死者数は増え、客足はコロナ前に戻っていない。さらに人流制限がない分、補助金が出ない中で、輸入物価高によるコスト高にも見舞われているのである。なんとかここまでやってきても、すぐには返済は不可能で、借り換えを望む事業者は多いだろう。

しかし借り換えするなら無利子というわけにはいかない。個人事業者には利子補給の制度があるが、法人形態をとっていたら利子補給には一定の売り上げ減の条件が必要となる。その条件にあてはまらないが経営が苦しい多くの業者にとっては、利子負担が迫られることになる。金利の上昇はそうした負担を重くする。ゼロゼロ融資対象者だけでなくて、それを受けずになんとかコロナ禍とコスト高の地獄を切り抜けてきたたくさんの事業者もまた、金利上昇で資金繰りがつかなくなって、ついに息が尽きてしまうのではないかと心配になる。

令和臨調が政府と日銀の新たな共同声明を求める

一二月の日銀の決定は、二三年春に正副総裁が交代して岸田政権の意向にそった日銀の政策転換がなされることをにらんだものとの観測が絶えなかった。真偽は別にして、そのような憶測を導いたために市場では金利上昇の圧力がかかりつづけた。

そんな中、明らかに日銀執行部の交代をにらんで、令和臨調が政府と日銀に向けて金融政策体系の刷新を要求する緊急提言を出している。一月三〇日に出された、「政府と日本銀行の新たな『共同声明』の作成・公表を」である。それは、副総裁候補の下馬評にも上った翁百合座長の「財政・社会保障」部会から出されたものである。

その内容は、全くもってこのかんの、コロナショック・ドクトリン推進ブレーンたちの認識そのままである。低金利と「バラマキ」財政で「ぬるま湯」にしていることが、日本経済の長期停滞の原因だと描き出し、財政支出は生産性を上昇させる目的に集中させるべきだと言う。社会保障制度は「持続可能」なものにしろ（要するに「削減しろ」）と言う。そして、財政悪化に対して市場が（「ブルジョワジーが」と読め）警告する金利機能を取り戻さなければならないと言う。さらに、こうした議論のために、円安危機を煽っている。

そして、二％インフレは長期目標に棚上げしろと言うのである。そうした上で、国債市場の「正常化」と金利機能の回復のために、金融政策を「正常化」しろと言う。要するに、現在の量的金融緩和は打ち止めにしろということである。

その後、二月一〇日に明らかになった次期日銀総裁候補の植田和男東大名誉教授は、一般には、これまで総裁候補の下馬評に上がった人たちよりは、金融緩和継続の必要を理解している人だと認識されている。たしかに、無茶なことはしない現実的な人ではあるだろう。しかし、上記令和臨調の議論に違和感を持つ人物とは考えにくい。岸田内閣肝入りで、これが支配層の総意だとして押し出された時、とりわけアメリカ政府からの要求だとなったとき、それをつっぱねるようなことはせず、粛々と大過ない政策転換への手順をとっていく可能性が高いと感じる。

そうだとすると、その後の推移は、次に記す二つのシナリオを両極とするあいだのどこかになろう。

輸出増でK字回復のシナリオ

もしアメリカの景気後退が心配されたほどのことでなければ、アメリカの通貨当局はインフレ率が落ち着くとともに利上げの幅を縮小して停止させるぐらいで、しばらくは利下げとまではいかない。この場合には、円高といってもせいぜい一ドル一二〇円台ぐらいでとどまってくれるかもしれない。特に、日銀新体制ができてもしばらく政策継続の姿勢を見せていたならば。

そうすると水準としては依然比較的円安なので、日本の輸出が数量的にも拡大しはじめ、雇用が増える。中国経済が正常化するとますますそうなる。コロナ無策で中小企業・個人事業の倒産も相次ぎ、賃金も上がらず、相変わらず内需焼け野原の中では、典型的なK字回復（格差のある景気回復）になるが、どんなひどい雇用でも伸びれば内閣支持率は上がる。世界の物流の回復が進んだり、ウクライナ戦争が落ち着いたりして物価高が解消に向かうと、政府の原油高対策の多少の効果も針小棒大に宣伝され、さらに支持率が上がる。

そうすると「今がチャンス」と解散総選挙になるかもしれない。野党側が雇用と実質所得をもっと拡大する対案を示せなければ、自民党はまたも大勝利して、民意を得たものとして大衆負担増大策が強行されるだろう。その結果、内需不足やインボイスなどで中小企業・個人事業は淘汰され、コロナショック・ドクトリンが完遂に向かう。軍事大国化も進み、アジア民衆からの搾取で成り立つ地域帝国主義体制ができあがる。

一〇〇円割れ(?)の円高でデフレ再突入のシナリオ

しかし、もしアメリカの景気後退が無視できないものとなり、利下げが見込まれる中で日銀の体制転換を迎えると、一ドル一二〇円台ではすまない。しかも、アメリカが景気後退したら、アメリカ政府は、ドル高だと輸出が伸ばせないので、日本に金融政策の転換を迫るかもしれない。特に、多額の政府債務を抱える中、両院の多数派がねじれて景気対策のための政府支出を機敏にできない状況ではそうである。露骨な圧力は格好悪いのでG7あたりで欧州を味方につけて、「ドル高是正」と言い出せば、日本のマスコミや「リベラル」論客はたちまちアメリカ政府の思惑にしたがい、異次元金融緩和手仕舞いせよとの世論を煽るだろう。

このようなかたちで、はっきりと日銀の政策転換がなされたならば、円は爆上げである。一ドル一〇〇円を割ってもおかしくない。そんなことにでもなれば、せっかく始まった生産拠点の国内回帰もおしまいである。日本経済はデフレ不況に舞い戻り、失業者は急増、中小企業・個人事業の淘汰は一気に進み、生き残った会社は東南アジアに追い立てられる。やはりこの場合も、コロナショック・ドクトリンが完遂に向かう。

そしてこのあとで、高市早苗氏あたりが率いる自民党なり日本維新の会なり、何かほかの極右的な勢力なりが、積極財政と大胆な金融緩和の復活で経済を回復させると言って選挙に臨む。そうなれば、第二次安倍政権誕生時の再現である。今の主要野党では太刀打ちできないだろう。やはり軍事大国化が進み、アジア民衆からの搾取で成り立つ地域帝国主義体制ができあがる。

結局、できあがる荒涼とした社会

いずれにせよ、この結果できあがるのは、商店街も廃れきり、町工場も、庶民のための農家も畜産家もなくなる世界である。庶民は接客業・サービス業の非正規低賃金労働者として、大規模ショッピングモールと全国チェーン飲食店の激安輸入品で生き、デジタル技術などが駆使できる一部のエリート層は、彼らとは家系も住む街も違うという世界である。富裕層向けビジネスは栄えて、非正規低賃金労働者の中でも比較的ましな雇用を生むが、彼らは自分たちの産物・サービスを買えるわけではない。

国の中に製造業はほとんどなくなるので、環境はきれいになる。一部の農家は有機栽培で富裕層ビジネスの一環として成功する。するとそれらを享受するエリート層の一部は、自分たちは資本主義に対抗するエコロジカルな生活をしているつもりになって、ジャンクな輸入品で生きる庶民の資本主義的生活を見下すだろう。そしてアジアの労働者を搾取してもうけた大企業の利潤への課税を強化しろと言い、それを「財源」に、エリートにもなれず、さりとて接客やサービスも性に合わず働き口のない人たちへの給付を増やせと言っては、自分たちは「リベラル」なのだと満足するのだろう。アジアの低賃金労働者が作った物で無職の貧民を養う「ローマ帝国上等」のリベラルと、「野垂れ死に出て上等」の保守派との間の二者択一しかない選択肢ほど不毛なものはない。

普通の庶民が役割を評価されてまっとうに生きる社会を

このような未来は拒否しなければならない。

コロナショックに見舞われて以来、政府による淘汰の対象になった中小企業・個人事業者の人たちはじめ多くの庶民が、追い込まれるたびに、これではやっていけないと声をあげ、ささやかだったり的外れだったりはするけれども、なにがしかの譲歩や改善を勝ち取ってきた。一〇万円給付を勝ち取り、支援金の理不尽を正し、申請打ち切りの延長をさせてきている。そうして、無念にも脱落したおびただしい人たちを出しながらも、それなりに多くの業者たちがなんとか生き抜いてきた。「新陳代謝」を進めるチャンスに小躍りした政府ブレーンの先生方は、期待はずれで切歯扼腕《せっしやくわん》だろう。

感染のリスクを負いながらも人々のニーズに応えて必死に働き、支援金の申請業務に忙殺され、抗議や要請に立ってきた普通の庶民たちの、自分の生業と家族と身近な人たちの暮らしを守り、なんとか生き抜くための取り組みが、とりもなおさずコロナショック・ドクトリンが進むことへの全国的な抵抗の闘いとなってきたのだ。頭が下がる。

この一人ひとりの生き抜く闘いの中から、普遍的に貫く「望み」を汲み取らなければならない。それは、エリートでもなく、資金力もなく、卓越した知恵や工夫も体力もないごく普通の庶民でも、誠実に生きているだけで、社会の中で役割を評価されて報われ、日々コントロール感のあるまっとうな人生を安心して歩めてしかるべきだということにほかならない。事業主であれ、雇用労働者であれ、この望みにおいて共通する立場の者は、利害を共同する者として連帯できる。賃金や労働条件を上げることが、日本の庶民の雇用や生業を守ることにつながるアジアの労働者もこの中に入る。

「生産性」主義者の進める淘汰路線は、人口減少時代に対応した日本資本主義の合理的生き残り策である。しかも、この裏面として不可分の地域帝国主義は、アメリカ資本主義の相対的な力の低下の中で、ドイツによるEU支配やロシアのウクライナ侵攻など、地球上至るところの地域的大国が乗り出している世界史的流れでもある。これをトータルに拒否するためには、この路線に抑圧されるすべての個々の民衆の苦しみと望みの中から、同様に世界史的な普遍性を汲み取って対置するのでなければならない。

（二〇二三年一月一七日）

［東アジア］

コロナ禍と東アジア（ポスト）冷戦 6

丸川哲史

丸川哲史（マルカワ・テツシ）

一九六三年、和歌山県生まれ。一橋大学大学院言語社会研究科博士号取得。現在、明治大学政治経済学部兼教養デザイン研究科教員。専攻は、日本文学評論、東アジア現代思想史。著書に、『台湾、ポストコロニアルの身体』（青土社）、『リージョナリズム』（岩波書店）、『帝国の亡霊』（青土社）、『竹内好』（河出ブックス）、『台湾ナショナリズム』（講談社選書メチエ）、『中国ナショナリズム』（法律文化社）、『魯迅出門』（インスクリプト）、『思想課題としての現代中国』（平凡社）など。

反「ゼロコロナ」デモから

二〇二二年一一月二四日、ウルムチ市内の高層アパートで一〇人もの死亡者を出した火災について、「ロックダウン」により消火活動が妨げられたものとして、この出来事は全国的な反「ゼロコロナ」デモへと繋がった。北京、上海、南京、武漢、成都などの都市と、清華大学、復旦大学などの大学一〇〇校以上でデモがおこなわれた。抗議前の情報がSNSに出された直後に削除されるなど、言論統制が強まっていることへ反発もあった。が、発信側はさらにその上を行く機敏な拡散戦術を展開、結果として大規模「緩和」が為されることとなった。

それ以前からの流れからいえば、じつは第二〇回党大会の後、一一月一一日には、二〇項目の「緩和措置」なるものがすでに出されていた。それは、隔離期間の短縮も含んだ「緩和」策であったが、一一月という季節柄、感染者が増えている最中となり、現場レベルでは逆に管理を強化しようとし、混乱が生じたようである。中央政府のサインとして、一一月三〇日、担当責任者、孫春蘭副首相の「緩和」の確定に向けた会見もあり、この流れが一二月に入って定着、「緩和」への道筋が確定した。

中国政府は、一二月七日に一〇項目の新たな「緩和」策を発表。すなわち、無症状や軽症者については、隔離ではなく自宅療養を容認、それ以外にも、PCR検査の範囲の縮小、また店や施設に入る際に必須とされていた陰性証明を求めないことなどが通達された。結果として、反「ゼロコロナ」抗議活動は効果があったものと観察される。ほぼ一年前まで自国政府が誇っていた「ゼロコロナ政策」で割を食っていた人々が耐えきれなくなり、結果として、下から上への反応に対して、上から下への応答が為されたことになる。

前回の「定点観測」でも述べたように、そもそも中国の医療は、日本のような町医者が偏在するシステムはなく、大規模な病院や機関が一元的に対応する、つまりゲゼルシャフト的組織である。人口当たりの医師の数も少ない。これが、感染対策における桎梏になっていた。つまり大規模かつ一律な対応はできるが、細やかさ、柔軟さを欠く場面が出やすい。保健当局のシミュレーションで、デルタ株流行の時期には、感染を放置すれば、感染爆発が起き、死者が大量に出かねないとの試算もあった。ところが今次の抗議活動を受け、いわば見切り発車的に「緩和」措置が進められることになった。統計的に、今次のオミクロン株の致死率が以前の株よりも低いであろう、との判断も下されたようだが、本稿が世に出される時分にはどのような結果となっているか?

このような大転換の経緯だが、そもそも習近平政権にはそのような事績がすでにあった。新型コロナ感染が発見された初期における、武漢の病院にてコロナ感染の事実を告発した李文亮医師への対応である。彼は偽情報を流したとして処分を受けたが、その後、名誉回復の声が広がると、一瞬にして李医師を名誉の「烈士」と祭り上げる決定を下した。強面《こわもて》の面が強調される習政権だが、むしろ柔軟かつ機敏な側面もあることも念頭に置かれるべきだろう。

以上とは別に、今後のコロナ感染対策であるが、鍵となるのは、医療施設の貧弱さがどれほど克服されるのかであろう。一石一鳥とはいかないだろう。中央政府はウィズコロナのほうに完全に舵を切ったかたちになるが、この事態をどう管理するのかについては、これといった決定打もなく、医療現場も含めた感染の最前線では持続的に混乱が続くであろうと思われる。

反「ゼロコロナ」、都市部の抗議主体

さて、また少し時間を戻して、白紙運動に代表される反「ゼロコロナ」抗議運動に戻りたい。ニュース映像を見た限り、行動の場となっているのは、人口流動の激しい都市の中心部、大学の宿舎、そして地方の大規模工場であった（地方の工場については後で述べる）。様子を見てみると、かつての社区（コミュニティ）の住人ではない。近年の用語でいえば、ニュープア（新窮人）である。ニュープア層とは、安定的な職場や土地がない労働者、農民ではない者、すなわち正式の労働契約や財産（土地の使用権など）がないまま働く流動的労働者のことである。彼彼女たちは、この間の行動規制で最も割を食った人々である。また今日の大学生についても、ニュープア予備軍と言えるかもしれない。

近年の産業別人口構成において、第一次産業は既に七％ほど、第二次産業は三九％ほど、第三次産業は五三％ほどとなっている。すなわち、ここ二〇年において中国社会の労働人口の流動化が一挙に進行している。そして近年、恒常的に若年層の失業率が一九％ほどで高止まりしていた最中、追い打ちをかけるようにコロナ禍により、労働市場と彼彼女たちの「未来」そのものが狭まって来ていた。

人が集まりやすい都市中心部、また大学の寮において、すでに潜在的に騒擾状態が引き起こされやすくなっていた。彼彼女たちは、集合地点に各々が集まりだし、声を挙げ、当局批判の

演説をしたり、白紙のシートを掲げたりしていた。アトム化した個々人が寄り集まり、そこに一時的なコミュニティを形成したもの、と見受けられる。これに関して、近年あった香港でのデモでの合言葉のコピーも指摘し得る。「水になれ（成為水）」である。これの出処として最も囁かれているのは、ブルース・リー（李小龍）が老荘思想に寄りながら、自身の格闘技のイメージを語った章句であった。ちなみのこの言葉は、一九八〇年代の山谷における日雇い労働運動の活動においても使われていた。山谷争議団の議長が、この言葉を好んでいたそうだ。いずれにせよ、「水になれ」が大陸中国のデモにおいて、一つの合言葉とされたことには格別の観もある。

また、抗議活動において歌われているのが、国歌やインターナショナルであるのは、また興味深い。最大公約数的に歌えるのがその二つというのは、やはり大陸中国ならではのこと、と思われる。ネット界の若者の書き込みを眺めているとわかるのは、今日の若者世代が「左傾化」している事実である（もちろん中国共産党を支持するということではなく）。

地方工場での抗議主体

ではもう一つ、二〇二二年一一月に地方の大工場で起こった出来事に目を向けてみよう。鄭州市のアップル製アイフォンの工場が代表的である（香港の富士康科技集団、バックの資本は台湾の鴻海）。ここでも典型的とも言える騒擾状態が、工場の出入り口付近で展開されていた。すなわち、コロナ禍によって発生した感染者が発見されると、これまでと同様に工場全体にロックダウンが施行され、労働者は留め置かれることとなった。しかも失業状態にされ、給料の未払いが発生する。労働者たちが、給料の未払いへの抗議と、そして帰郷、あるいは別の働き口への脱出へと殺到した結果である。

先に述べたように、それらの人々は、組織化されている人々ではなく、各自、様々な地域（多くは農村）から集まって来た人々である。九〇％ほどが、じつは正式な労働契約を結んでいない。ところで、このような流動的労働者の析出は、南巡講話（一九九二年）以降のことであり、それ以前にはなかったと言える。そこで、南巡講話以前のあり様、一九八〇年代までの社会状態を思い出してみたい。

たとえば、かつての一九八九年の六四天安門事件の時のことである。マスメディアでは、今回の騒擾現象と、あの天安門事件を結びつけたがっているようだが、無理がある。天安門事件の時には、農村と都市住人の間で共有するものはまったくなかったし、都市労働者と学生との間でも目的と意識に落差があった。すなわち、中国社会主義の伝統でもあった単位制度と呼ばれる固定した職場、そしてその生活の場、社区（コミュニティー）が存在していた。それらが今日残っているのは、公務員、国営企業の一部、また農村などである。しかし今日、そのような単位制度、コミュニティは、若者世代ではほぼ例外的なものとなっている。

その意味で、今回の抗議運動、またその運動の連動性について、明らかに今日的な全国性、一般性が現出していると言える。が、それはマスメディアで何度も言及されているようなSNSの機能にだけ帰せられるものではない。むしろ、目下の中国において競争を強いられている若者世代のプロレタリア一般性であり、だからこそニュープア（新窮人）という用語も生まれたのだ。

とはいえど、都市中心部での抗議運動で活躍した人々と、地方の工場で起こった出来事を担った人々の出身は、それぞれ都市戸籍者、そして農村戸籍者であり、性格が異なっている。先に述べたように、両者には新時代のプロレタリア一般性が宿っている。にもかかわらず、実際に、組織的人脈的に合流することはほとんどありえない。これは、一九五〇年代からの中国における固定化した戸籍制度に由来する。生活実態として、契約状況からして、両者は共通するものがありつつ、しかし交われないのである。以上の分析については、汪暉『世界史のなかの世界』（青土社、二〇一六年）所収の論文「二つのニュープアとその未来——階級政治の衰微と再形成、そしてニュープアの尊厳政治」（宮本司訳）を参照。

階級論からの分析

先に述べたように、今回の抗議活動の主体は、地方（農村）であれ、都市部であれ、若者ニュープア層であり、またその予備軍（学生）である。その一方、治安当局はもちろん、共産党支部や住民委員会も、彼彼女たちを管理する側に立っているのであり、それが今日の共産党の立ち位置である。そこで、現在の中国でしばしば起こる騒擾現象について、言論自由の角度、人権擁護の角度から分析することも可能である。が、じつは今日の中国社会のあり様について、また共産党のあいまいな位置について、階級論的に解析すべき時代に来ているということである。ここで一言述べるなら、日本のチャイナウォッチャーがまったく階級論的な視点を持たないことに読者諸氏は気づくべきである。それが欠けては、現在の中国、さらには中共のあり様もわからないはずなのだ。

そして、もう一点述べておく。日本の中国識者たちは、愛国主義教育を十分に受けたはずの若者たちが「共産党打倒」「習近平止めろ」のスローガンを掲げていたことに驚愕したようだが、内在的なロジックからすれば驚くことではない。つまり、中国政府は、習近平時代になってから、省・県レベルなど地方政府への監視を強めて来た。ニュープア層は、中間行政の保護から外れた人間たちであり、彼彼女たちの不満の持って行く場所は、中間を通り越して、中央、あるいは一元化された人格に向かうことは必定であろうものである。

しかし、改革開放以降の中国の統治機構について述べると、中央は監視や人事の機能をAIやIT技術により強めて来た一方、実際に富を生み出す機構の中心は、あくまで地方政府、またそこと関連する企業体である。そこで考えてみれば、今回の第二〇回党大会で新しく選出された七人の中央委員会常務委員のメンバーにしても、地方行政に関わっていないのは二人だけである。習も含め、主流は地方行政の出身者なのであり、地方の声と彼らは何らかのかたちで繋がっている。このような仕組みが、(かつてのソ連のようにではなく)中国における統治政策における柔軟性をもたらしているもの、と想定できる。だから実際には、想像とは逆に、財政と行政にかかわる権限に関しては、中央から地方へと移譲する政府機構の改革が進んでもいるのである。

米中対立の行方

二〇二二年一〇月一六日〜二二日の第二〇回党大会において、習近平総書記は両岸問題に関連して、「我々は最大の誠意をもって、最大の努力を尽くすことを堅持し、平和的統一という未来を目指していくが、武力行使の放棄を決して確約するものではなく、一切の必要な措置を取る選択肢を留保する」と述べた。この発言を一つの手がかりとして、近年のまた今後の両岸関係を論じてみたい。一読して理解できるのは、一九七九年の米中国交樹立を受け、「未来」に属する「平和的統一」が謳われることになった鄧小平の報告、「台湾同胞に告げる書」のロジックを超えたものではないことである。

ここで少しく、「台湾同胞に告げる書」について述べておく。すなわち、その前の段階まで、金門島における砲撃戦が散発的にも継続されていたが、それ以降、金門島付近の状況は大幅に改善される。さらにそれまでに台湾島に米軍基地もあったが、米軍は台湾から撤退することになった。これこそ、米中国交樹立のために北京政府が米国に示した前提条件なのであった。つまり、台湾の米軍の基地を撤去させたのは北京政府の交渉力にあった。いずれにせよ、こういった歴史的経緯を日本のマスメディアは論じたことがない。

さて、今次の党大会の一つの帰結として、党規約に「台湾独立に断固反対」と明記した経緯を考えるに、その一カ月前の出来事に注目しなければならない。両岸問題の専門家、岡田充氏のネット・マガジン『海峡両岸論』（一四三号、一四四号）で紹介されていたように、バイデンが九月一八日のテレビ番組において、「台湾独立」容認の発言をしていた。正確には、「私たちは台湾独立を進めることはしないが、台湾住民が自ら決めること」だが、（公的な場での発言ではないが）明らかに中国側のレッドラインを越えている。これらのバイデンの発言は、四日前の九月一四日、米国上院外交委員会において成立した、防衛支援や台湾政府を「台湾住民の正統な代表」と認める「台湾政策法案」を受けたものである。

さらに、その一月半ほど前の出来事も振り返らなくてはならない。すなわち、八月二日〜三日のペロシ下院議長の訪台の後となる八月四日〜一〇日にかけて展開された、台湾への「包囲」行動である。純粋に軍事的な意味合いを検討してみると、この六日間の「包囲」に対して、米軍は遠巻きにしてウォッチするだけで、それを牽制する何の手立ても打てなかった（ただしここで、「包囲」と「上陸」は、軍事作戦的には全く別のカテゴリーであることを述べておく。上陸人員、輸送能力の観点からすれば、台湾への上陸作戦は不可能だ、と筆者は考える。）。

じつのところ、米国が進めているのは、高官の派遣と武器援助だけで、つまり東アジアにおいて米国の代わりに米国の意思を代行できる起点を台湾（あるいは日本）に求めんとする行動である。しかし、興味深くも一一月二六日におこなわれた台湾における中間選挙の結果は、台湾独立を党是に掲げる民進党ではなく、対中政策について是々非々の立場を採る国民党側の勝利に終わっている。今回は紙幅の都合もあり、この件については触れられない。

ここで、台湾の「独立」という問題を日本の視点から日中関係の根本に関わる問題から見てみたい。すなわち、一九七二年の日中国交正常化の結晶たる日中共同声明の第三項に「中華人民共和国政府は、台湾が中華人民共和国の領土の不可分の一部であることを重ねて表明する。

日本国政府は、この中華人民共和国政府の立場を十分理解し〜」云々とある。今日の日中関係の大元にある土台は、一九七二年のこの「約束」にある。

「包囲」と反「包囲」

ここから、しばし議論の横滑りを覚悟でウクライナ戦争への評価について述べてみたい。一般的なのはもちろん、ロシアの侵略を批判する論調であり、筆者もそれに異論はない。しかし同時に、NATOの東進、いわばロシアへの「包囲」の事実が今次の戦争を引き起こしたとの説もあり、世界中の一定の左翼、及びグローバルサウス（旧第三世界）の人々によって支持されている。

では、中国の今次の戦争に際しての態度は如何なるものか。中国はかつてウクライナ製の空母を購入した経緯からも知られているように、ロシアともウクライナともチャンネルを残すような態度を示して来た。中国は一帯一路政策を進める上でも、ウクライナと事を構える必然性を何ら有していない。中国はこの戦争の行方をにらみつつ、ロシアを支えようともするが、それとても世界の力関係を俯瞰した上での戦略的決定であるように見える。

そこで考えてみたいのは、前回の「定点観測」で述べたように、海洋諸国家との関係、「インド洋・太平洋」との関わりにおける中国である。端的に、複数の国が中国を「包囲」する行動が中国に突きつけられている。日本も「開かれたインド洋・太平洋」の実現を図るとして、米豪印日の首脳会合「クアッド（QUAD）」に参加している。また米英豪は独自に、原子力潜水艦の技術供与を大きな目的とする軍事同盟「オーカス（AUKUS）」を形成した。

そこでまた述べてみたいのは、逆の「包囲」である。先の大陸中国側による台湾「包囲」のことではない。今次のロシアによる戦争について、いわゆる国際社会の中でのグローバルサウス（旧第三世界）が示した国連決議などでの「棄権票」の続出をどう考えるかである。かつて毛沢東＝林彪において、圧倒的な人口と面積を持つ「農村が都市を包囲する」という革命戦略が唱えられていたが、ロシア制裁に前のめりにはならない国は、人口としても面積としても多数派とも言える。

米中対立の「緩和」

さて、第二〇回党大会以降の一一月から一二月にかけての米中対立の様相だが、変化の兆しが現れている。一一月一四日、インドネシアのバリ島における米中首脳会談において、台湾問題にかかわる平行線は折りこみ済であったが、不測の事態を回避する施策について重要な話し合いが為された。その後、ブリンケン国務長官の訪中も発表された。すなわち、米中対立「緩和」の空気が漂い始めている。では、何がその糸口がとなったのかと類推すると、ペロシ訪台後の中国側の台湾「包囲」に対して、米軍が何もできなかった事態に突き当たる（先に述べたが「上陸」とはまったく別のことである）。そこで確定した現時点での地政的＝軍事的力関係の確認が、双方において、暫時的であろうものの一つの均衡点を意識させた、と筆者は見立てる。

振りかえってみれば、ここまでのプロセス、つまり二〇二〇年代前半における米中対立の様相は、コロナ禍において、トランプ政権が自らのコロナ対策の出遅れを糊塗するため、新型コロナの武漢発生説を手がかりとして激しく中国を批判し始めたのがその端緒であった。二〇二二年一一月〜二〇二三年一月のプロセスを見ると、この米中対立のプロセスのピークが過ぎようとしているかの観がある。

では、この流れはどこに向かうのか。中国の首脳には、米国との関係に基づいて過度に刺激しない姿勢を示し、目立たないように自らの地政的優位を押し上げる意図がありそうだ。それは、たとえばどこに。一二月に入り、習が向かったのは、サウジアラビアであった。一二月九日の首脳会談において何が約束されたのか。四兆円の原油、液化天然ガスの買い付けが発表されたが、それは今までも継続されていたことである。ここに加わって来たのが、エネルギーシステムやインフラ建設にかかわる系統的な技術供与であった。今や、中国は技術大国にもなろうとしている。そして最も重要なことは、これまでの両国の通貨取引を人民元決済にすること、いわゆる「ペトロ人民元構想」を実現させたことである。これは明確に、ドル流通圏への楔《くさび》を打ち込む行動である。しかもその国、サウジアラビアは軍事的＝政治的には、さらさら「親米」たる地位を捨てる気がない国である。

中国外交の動きは、明らかに米国との関数関係において、グレーゾーンを孕んだところに食い込もうとしている（逆に厳しい国や領域については平静を保っている）。近年、トランプ政権における核開発をめぐる米朝交渉の決裂を受け、朝鮮民主主義人民共和国のミサイル開発と核開発はドライブがかかっている。これについて中国は不満を持ちつつも決定打がない。しかも、尹政権になって米韓軍事演習も元通り活発化するところとなった。東アジアの状況を中国だけでコントロールすることは、もちろん無理なのだ。そこで中国は、地政外交の可能性を開くため、ユーラシア、中東、さらにその向こうのアフリカ諸国へと中国の外交の視点を動かしている、と観察される。

中国の行方、過去と未来

中国と関係の良い国はどこか、という問いはマスメディアレベルではほとんど聞かない。端的にロシアではないし、北の共和国でもない。中国について詳しい人間ならもう周知であるのは、たとえばパキスタン（かつての中印対立との関係で）である。この国もサウジアラビアと同様に親米国であるが、またイスラム「過激派」の根拠地でもあったという特異な立ち位置を持つ。そして、そのパキスタン領内のグワダル港を中国が押さえ、すでに一帯一路の物流の要所として稼働させている。こういった事実からして、先ほど述べたように、中国がグレーゾーンの国に食い込んでいる事態を指摘し得る。

長期的視点に立つとわかるのは、今日でも中国は、かつての冷戦期における「中間地帯論」や、また鄧小平が唱えていた「三つの世界論」と似た外交行動パターンを採っている、ということである。世界的に「新冷戦」とも称されている今日、地政的にあいまいな国家や地域への働きかけに邁進している観がある。これまで中国は、経済政策として、文革の前後や南巡講話前後など、断絶的な発展を示して来たわけだが、どこかで過去との連続性というものも、特に外交行動におけるパターンの遺産を温存しているものと見受けられる。中国政府が常々言っている、（新）冷戦に加担しないという物言いはあながち間違いでもない。

今後の中国の発展は、内政と外政がどのような関数関係において決定されるのかによる。内政的には、新自由主義政策のために生じたニュープア層への処遇の如何、そしてまた少子高齢化の危機が、国内外の発展に与える決定要因となる。それまでに中国がやろうとしているのは、地政的戦略も含んだところでの技術革新力の強化である。ユーラシア、中東諸国、アフリカ諸国への技術供与の事実からして、明確になりつつある。この技術供与をセットにして、中国政府は巨額投資を引き続きおこなっており、国際競争力と国際戦略の実力において見劣りのしないところへ自国を導こうとしている。さらに、これに付随する外交であるが、端的にその目的は、国際経済学が教える法則通りである。つまり、市場における優位の確立、労働力の再編と国際分業の高度化、原料供給先の多元化等々、これらを地政的課題として追求している。

日本政府は、中国などの周辺国家の軍事的優位への対処から、また米国の極東戦略にも突き動かされ、「反撃能力」なるものを定義し、軍事費を突出させようとしている。ここで、中国に対してそのような措置が必要なのか、ということを考えみたい。筆者の見方では、「反撃能力」なるものも、「核の傘」論に近い抑止力の一種である。中国に対して日本が「抑止」を迫る――そんなことが必要なのか、また可能なのか。ここで重要なことは、中国の軍事のあり様がどのようなものであるのか、また中国が世界全体を相手にして何をしているのか、を深く理解することである。その上で、日本の今次の軍備計画にはどれくらいの意味があるか、正当性があるのか、考えてみるべきであろう。

何も考えず、NATO諸国に倣えというのでは、思考停止と同じである。日本がNATOなどの軍事同盟に組み込まれずに来たこと、その外側にいることで、ロシアとも中国とも独特のチャンネルと位置を獲得して来たことの意味を、今一度思い出すことが必要である。

（二〇二三年一月七日）

［日本社会］

道に迷い、行きつ戻りつ、前に進む

森　達也

森 達也（モリ・タツヤ）

一九五六年、広島県呉市生まれ。映画監督、作家。テレビ番組制作会社を経て独立。九八年、オウム真理教を描いたドキュメンタリー映画『A』を公開。二〇〇一年、続編『A2』が山形国際ドキュメンタリー映画祭で特別賞・市民賞を受賞。佐村河内守のゴーストライター問題を追った一六年の映画『FAKE』、「東京新聞」の記者・望月衣塑子を密着取材した一九年の映画『i―新聞記者ドキュメント―』が話題に。一〇年に刊行した『A3』（集英社文庫）で講談社ノンフィクション賞。著書に、『放送禁止歌』（光文社知恵の森文庫）、『「A」マスコミが報道しなかったオウムの素顔』、『職業欄はエスパー』（角川文庫）、『A2』（現代書館）、『ご臨終メディア』（集英社）、『死刑』（朝日出版社）、『東京スタンピード』（毎日新聞社）、『マジョガリガリ』（エフエム東京）、『神さまってなに？』（河出書房新社）、『虐殺のスイッチ』（出版芸術社）、『フェイクニュースがあふれる世界に生きる君たちへ』（ミツイパブリッシング）、『U 相模原に現れた世界の憂鬱な断面』（講談社現代新書）など多数。

この原稿を書き始めようとしている今日の日付は二〇二二年一二月二七日。新型コロナウイルス感染による死者数が、過去最多の四三八人を記録した日でもある。これまでの最多は、四日前の一二月二三日に記録された三七一人。

今は第八波。第七波のピークだった九月二日の死者数は三四七人だから、圧倒的に増えている。念のためにもう一度書くけれど、新型コロナによる一二月二七日の死者数は、国内過去最多の四三八人だ。この日の全国の新規感染者数は二〇万八二三五人。これも一週間前と比べて、一万八〇〇〇人余り増えている。

つまり新型コロナの猛威はまったく衰えていない。衰えているどころか勢力をさらに増している。でも一二月、政府は新型コロナの位置づけを、現在の二類からインフルエンザと同等である五類に緩和する方針であることを発表した。飲食店や劇場の客足はほぼコロナ前に戻り、オンラインのミーティングやシンポジウムも急激に減った。僕も帰宅したとき、少し前まではジャケットは洗濯槽に放り込んで、手洗いや消毒はもちろん、欠かさずうがいもおこなっていたが、今は手洗いぐらいだ。

洗面台にはうがい薬がボトルの三分の一ほど残ったまま放置されている。手を洗いながら思う。なぜこれほどに自分は弛緩しているのか。なぜこれほどに社会は緊張感を失ったのか。今年のクリスマスや年末年始は、二年ぶりに行動制限が解除された。帰省ラッシュの混雑もほぼ例年どおりになるようだ。今となっては懐かしい言葉だが、列車や初詣など日本中で「クラスター」が発生する。でも気にする人は少なくなった。ところが感染者と死者数は過去最高。

オミクロンという新たな変異株が現れた一年前、重症率は低いと推測されながらも感染力が桁違いに強い可能性があり、医療崩壊を招くとの見方が強かった。この時期には海外の急拡大を受けて、政府は外国人の新規入国を原則禁止とした。もちろんウイルスは防げなかった。でも少なくとも、社会（と僕自身）はもっと緊張していたはずだ。

洗った手をタオルで拭きながら思う。何だかとてもちぐはぐだ。

ただし見方を変えれば、これほどに新型コロナに対する社会の緊張度が弛んでいるのに死者数と感染者数が第七波のピーク時をやや上回る程度なのだから、オミクロン株が弱毒化されていることは確かなのだろう。

過ちはくりかえされる

思い出してほしいのだけどコロナ禍が始まった三年前、陽性になるということは命の危険を意味していた。現役力士や著名なコメディアンが新型コロナで逝去したとの報に、僕たちは（銃口が自分にも向けられているように感じながら）大きな衝撃を受けたはずだ。

そうした感覚は明らかに鈍化している。感染者は今後も増えるだろうが、社会は集団免疫を獲得し、ワクチン接種済みの人も加算すれば、その後の感染は恒常的に低いレベルに抑えられる。病院スタッフや公衆衛生担当者の日常はまだ過酷だが、一般の人々は普通の生活に戻ることができる。

……これは現時点における楽観論。オミクロン株が最終形であるかどうか、それは誰にもわからない。長期的に見ればウイルスは弱毒化するが、仇花的に強毒化したウイルスが現れる可能性は今後もゼロではない。いや必ず現れる。アメリカでは今、オミクロン株が変異したXB・1・5による感染が急速に拡大している。

いずれにせよ、スペインインフルエンザのウイルスが今も変異しながら生き残っているように、変異したウイルスや亜種は確実に残る。でもパンデミックについては、終わりの時代が始まっていると見ていいだろう。

気になるのは中国だ。二〇二〇年一〇月の中国共産党大会でゼロコロナ政策の成果と継続を強調していた習近平政権は、一二月七日にコペルニクス的に転回した。たった一晩で「全国民にPCR検査が必要」は「全国民にPCR検査は不要」へと変わり、行動追跡アプリの運用も中止となり、全面的な行動制限やロックアウトはほぼ解除された。

しかしウィズコロナ移行への準備が不十分なままゼロコロナ政策が解除されたことで、死者と感染者は蓋が外れたように一気に増えた。北京や上海など大都市では、行動制限は解除されたのに、感染に脅えた市民たちは自発的に家にこもり、街から人が消えた。ところが火葬場には長蛇の車列ができ、医療体制は逼迫して薬局では抗原検査キットや解熱剤などを買い求める人が急増して品切れが続発し、多くの大手銀行やレストランなどは従業員たちの感染拡大で臨時休業を発表している。

習近平政権がこれほど急激に方針を転換した理由は、白紙運動などゼロコロナ政策に対する人民の激しい反発が拡大することを恐れただけではなく、長期にわたるロックダウンで失業率が上昇して不動産市況が悪化するなど、経済が破綻しかけたことも要因だろう。地方政府の財政も、新型コロナ後は深刻な状況に陥っている。

ゼロコロナ政策を解除してから一八日が過ぎた二〇二二年一二月二五日、中国国家衛生健康委員会は中国全土における一四日の感染状況を発表した。新規感染者数は二九四〇人で、死者数はまさかのゼロ。さすがにこれは、実態を隠蔽しているとして国内外から大きく批判された。

スペインインフルエンザがあれほどに拡大した理由のひとつは、戦争中であったために各国が情報を公開しなかったからだ。まして今の世界における中国の存在は、人流的にも経済的にも影響は計り知れない。二〇一九年に武漢から新型コロナの感染が世界に広まったときも、習政権が適切な情報公開を怠ったことで、感染防止や水際対策など世界各国の初動の遅れと混乱を招いた。たった三年前だ。しかも同じコロナ禍。なぜ同じ過ちを何度もくりかえすのか。なぜ失敗を認めて改善しないのか。

見えない領域

新型コロナは平時の矛盾や問題点を拡大し、さらに増幅する。その視点に立てば、今回の中国におけるゼロコロナ政策と転換による混乱と惨状は、独裁的で専制的な一党支配という政治体制の矛盾と問題点を、まさしく露わに示している。

ただし、露わにされているはずなのに、なぜか不可視のままになってしまっている領域は必ずある。つまり、見ているのに見ていない。……わかりづらいかな。カメラのファインダーで言えば、フレームに入っているのにフォーカスされていない。ピントが合ってないから気づかない。

……やっぱりこれもわかりづらい。具体的な例を挙げよう。安倍晋三元首相を筆頭に主に自民党の国会議員が旧統一教会の式典に祝電を出したとか出席したとかの情報は、銃撃事件が起きる一〇年以上前から、メディアの片隅にいる僕も時おり見聞きしていた。情報としては知っていた。

でもこれがニュースとして報道されない事態に、いつのまにか馴れてしまっていた。自民党と関係が深い宗教組織は、神道系の保守宗教団体をコアにして結成された日本会議など他にも複数あり、その式典やシンポジウムなどに安倍元首相や他の議員たちは当たり前のように参加したりビデオメッセージを寄せたりしている。被害者の声がほとんど報道されないこともあって、旧統一教会はそうした宗教組織のひとつであるような感覚に陥っていた。

これは僕も含めて、多くのメディア関係者も同じだろう。そして、当人の安倍元首相も含めて自民党の議員たちも、同じように旧統一教会との関係を続ける状況に馴致されていて、これが良からぬことだとの認識は薄かったはずだ。

今になってメディアは、安倍元首相の祖父である岸信介が最初の接点であるなどと報じているが、これだって決して隠されていたことではなく、旧統一教会関連会社などから出版された書籍や新聞には当たり前のように記されているし、調べればすぐにわかることだった。自民党の歴代政権と国際勝共連合が長く蜜月関係にあること、そして国際勝共連合の母体が旧統一教会であることも、メディア関係者に限らず多くの人にとっては自明のことだった。

旧統一教会はこれまでも、合同結婚式や霊感商法などで、何度もメディアを賑わせていた。でも政治や自民党との関係は、ほとんど報道されてこなかった。その理由は何か。政権与党に対するメディアの忖度や萎縮が障害となったのか。多少はあるかもしれない。でも多少だ。主因ではない。だって仮にそうならば、政権与党は今も変わらず自民党なのだから、号砲が鳴ったかのような今の報道状況を説明できない。言葉にすれば例外状態の恒常化。その反作用としての現在の過剰すぎる報道と社会の反応については、紙幅がないのでここでは触れない。おそらくは『定点観測 新型コロナウイルスと私たちの社会』シリーズのラストとなる今回のこの原稿で僕が言いたいことは、「不可視の領域はこの問題だけではなく、他にもたくさんあるということだ。

馴致と適応

なぜ不可視な領域が生まれるのか。ここからは僕の仮説。話半分で読んでほしい。不可視な領域が生まれるメカニズムは、人類の進化と関係がある。アフリカで発症した人類の祖先は、進化の過程を経ながらアフリカを出て、テリトリーを世界中に拡大した。現生人類は北極圏で暮らすこともできるし、熱帯雨林のジャングルや広大な砂漠にも営みはある。人類と長く共存して多くの品種が作られたイヌは例外として、こんな生きものは他にはいない。

つまり人類の環境への馴致能力と適応能力は、過剰なほどに強い。

これは僕たちのアドバンテージだ。新たな気候や風土に適応して自らを馴致できたからこそ、人類はこの地球でこれほどに繁栄できた。

馴致や適応する能力が発達した理由は、群れて生きることを人類が選択したことと無関係ではないはずだ。集団で生きるためには環境に自分を馴致するだけではなく、周囲の人たちと調和しなくてはならない。波風立てるばかりでは共同体から排除される。

群れる生きものは他にもたくさんいるけれど、直立二足歩行を選択した人類は、空いた両手で道具を使うことが可能になり、刺激された大脳が発達して、表情筋が豊かになり言葉も獲得した。高度なコミュニケーションが可能になって神話や禁忌など宗教的な幻想を共有し、原始共同社会が構築された。群れは全体でひとつの生きもののように動く。足並みをそろえる。同じ角度に視線を送る（ホモサピエンスが白目を外に露呈したことの意味は大きい）。同調的なバイアスが常に働いている。

こうしてエアポケットのように不可視な領域が生まれる。ここに必然性や因果は必要ない。たまたま何人かが目をそむけたことで、いつのまにか全員が目をそむけているケースが多い。明らかに見るべき価値のないものは多い。でも目をそむけることで弊害を生じていることも、旧統一教会問題のように少なくない。

これを防ぐためには視点を変えること。とりあえず周囲に馴致はしても、決して埋没しないこと。個の視点や意思を保つこと。

……言葉にすることは容易いけれど、群れて生きることを選択した人類には、なかなかこれができない。特に東アジアは集団性が高い。さらに、和を以て貴しとなすことを美徳とする日本は、サッカー・ワールドカップ観戦後にゴミを拾って帰るサポーターたちが象徴するように、集団性が突出している。念を押すが、ゴミ拾いそのものは決して悪いことではない。でもそのとき、ゴミを拾わないと帰りづらいという同調圧力が働いていたことも事実だと思う。

元首相銃撃事件が旧統一教会問題をあぶり出したように、戦争や災害や事件など予期せぬ事態は強圧的に視点を変える。もちろんパンデミックも。その影響は社会全般に及ぶが、個人にとっても大きい。

新型コロナ陽性になった

二〇二二年七月、僕は映画のロケハンのために京都にいた。クランクインの予定は八月だが、朝鮮人虐殺と被差別部落問題がテーマに重なるこの映画に、出資する企業や映画会社は少ない。クラウドファンディングで予算の半分近くを達成はできたけれど、この時点でもまだ、制作資金は目標額に達していない。でも準備を始めなければ間に合わない。いわば見切り発車だ。

ロケハンのメンバーは、僕以外にはプロデューサーが二人と助監督が二人、制作部と美術部がそれぞれ一人ずつ。全員男。ジェンダーバランスは最悪だ。

感染リスクは承知しているがホテルに泊まる余裕などないから、宿泊は毎晩ユースホステルの大部屋だ。東京からの移動も一台のワゴン。それもロケ車ではなくスタッフの誰かの車だ。五日間ほどのロケハンを終えて帰京してから数日後、スタッフたちとの打ち合わせの場で異変が起きた。まずは咳。かなり激しい。この時点で他に症状はないが、クランクインまで二週間を切っている。打ち合わせを切り上げて、ネットで検索したPCRセンターに初めて行く。

まずは抗原検査。結果は一五分ほどで出る。陰性だ。でもセンターのスタッフから、抗原検査は精度が劣るのでPCR検査もやるようにと言われる。ならば最初からPCR検査だけでいいじゃないかと思うけれど、精度が低くても早く結果を知りたいとの需要もきっとあるのだろう。

PCRの検査結果がわかるのは二四〜四八時間後。いったんは打ち合わせの場に戻るが、咳はますますひどくなり、何となく熱っぽくなって、打ち合わせを途中で切り上げて帰宅する。この時点で体温は三七度五分。咳は収まらない。風邪かインフルエンザか新型コロナなのか、今のところはわからない。とにかく早めにベッドに入る。

一晩寝たら、体温はさらに上がっていた。三八度五分。平熱が低いので、けっこうつらい。とにかく寝て過ごす。咳は絶え間なく続き、そのせいかあばらが痛い。夜にPCR検査の結果がわかる。陽性だ。

僕にとっては初めての新型コロナ感染。病院には行かなかった。特別な治療法があるわけじゃないし、この程度の症状なら受診する意味はないと考えたのだ。スタッフから連絡が来る。ロケハンに行った七人のうち、（僕も含めて）五人がほぼ同じタイミングで発症していた。最後の夜に、打ち合わせと夕食を兼ねて四条河原町の居酒屋に行ったメンバーだった。

この翌日、咳はほぼ収まった。熱も平熱だ。発症してから三日で回復した。症状としては風邪とほぼ同等。でも感染力の強さは実感した。スタッフたちの症状も（もちろん個人差はあるが）、比較的軽症で済んでいる。これで抗体を獲得できるのなら、ロケ直前とはいえまだ数日の余裕があるこの時期に感染して、むしろ僥ぎょう倖こうと捉えるべきかもしれない。

ただし問題は撮影本番だ。作品は群像劇だから、いちばん多いときには一〇〇人以上のスタッフとキャストが京都に集結する予定だ。確率的には、撮影期間中に誰かが発症しても不思議はない。いや不思議がないどころか、誰も発症しないほうが不自然だ。もしも一人が発症したならば数日で感染は広がる。撮影どころではなくなる。予算が潤沢ならば撮影の延期はできるが、この映画ではそれができない。つまり誰かが発症したその瞬間に、僕にとって初めての劇映画制作は中止となる。

悩んでも仕方がない。もちろんマスク着用の徹底や手の消毒などできることは最大限にやるけれど、あとは天命に任せるしかない。

結論から書けば、一カ月にわたるロケのあいだ、スタッフ、キャストを含めて発症者は一人も出なかった。いや一人だけ制作スタッフがクランクインして数日後に発熱したが、プロデューサーは彼に「検査は受けるな」「病院にはまだ行くな」「ホテルの部屋から出るな」と厳命した。このプロデューサーも、僕と同じタイミングで発症している。数日で回復する可能性があると考えたのだろう。

そして思惑どおり、制作スタッフは数日で症状が治まり現場に復帰した。風邪だったのか、それとも新型コロナだったのか、それはもう誰にもわからない。とにかく他に発症した人はいない。ある意味で奇跡ですと助監督たちは言った。僕もそう思う。資金はないけれど運だけはあるようだ。

何を食べてもコロッケの味

でも実は、僕にとっての新型コロナ感染は、ロケが終わりかけているこの時期もまだ続いていた。味覚障害だ。感染後しばらくは気づかなかった。クランクインして一週間が過ぎるころ、ようやく違和感に気がついた。つまりしばらくは馴致されていた。

味覚障害とは何か。生理学的には、甘味、酸味、塩味、苦味、うま味の五味が基本味。このどれか、あるいはすべてが減退する症状が味覚障害だ。何を食べても美味しく感じなくなったり、何も食べていないのに口の中に苦味や塩味などを感じたりするといった症状も含まれる。

僕の場合はどの症状か。実は一般的な味覚障害の定義には微妙に当てはまらない。何を食べても同じ味になるのだ。どんな味か。コロッケだ。それもコンビニ弁当の中に半分切って添えられている冷めたコロッケ。

冗談だと思われるかな。でも事実だ。しばらく気づかなかった理由は、そもそも低予算映画なので、ロケ弁はまさしくコンビニ弁当に近いものが多かったからだろう。でも時おり、主演級の俳優が昼食用に豪華な弁当を人数分差し入れしてくれる。最上級の牛肉を調理した焼肉弁当のときもあったし、豪華な幕の内弁当のときもあった。

スタッフたちはむさぼるように高級弁当を食べている。僕も最上級牛ロースを口に入れる。そのとき気がついた。これは牛ロースじゃない。コンビニ弁当の冷えたコロッケだ。

顔をしかめている僕に、どうかしたのかと助監督の一人が訊いてきた。状況を説明したら、良かったですねえ、と真顔で言った。だって森さん、これからはライスだけでおかずがなくても満足できるじゃないですか。

まあ確かに。でも毎食はつらい。しかも精肉店で売っている揚げたてコロッケではなく、コンビニ弁当に添えられている冷えたコロッケだ。プロデューサーの一人はわざわざネットで検索して、「世界中に感染は広がっているけれど、こんな症状はおまえだけだ」と笑っていた。

ただしこの時期は、僕も一緒に笑っていたと思う。つまりこれは、手に触れたものをすべて黄金に変える能力を与えられたミダス王のコロッケ版だ。なぜよりによってコロッケなんだ。キャビアとか最上級サーロインでよかったのに。でも毎食ではやっぱり飽きるかな。物語のラストにミダス王は最愛の王妃を抱きしめてしまって激しく後悔するが、僕はこのさき、何を口に入れて悔やむのだろう。

深刻にならなかったことには理由がある。新型コロナ後の後遺症として発症する味覚障害のほとんどは二週間前後で回復すると、この時期には多くの医療関係者や専門家が言っていたからだ。長くても一カ月だ。ならばロケが終わるころには回復しているはずだ。

幸いなことに一人も感染者が出ないまま九月半ばに撮影は終わり、帰京してしばらく休んだ後で編集作業が始まり、それもひと段落して現在である一二月下旬、味覚障害は続いている。やっぱりコンビニ弁当の冷めたコロッケだ。

ただし、すべてではない。野菜やフルーツはほぼ本来の味がするようになった。魚もぎりぎり。肉系はすべてダメだ。あとは天ぷら、お好み焼き、ラーメン。こうしたメニューのほとんどは、肉ほどではないが口の中で瞬時に冷めたコロッケとなる。中華の餡かけの餡もダメだ。ということは炭水化物なのだろうか。でも白米は普通に白米だ。パンも大丈夫。ならば動物性たんぱく質なのか。それとも脂質なのか。でもこのあいだ回転寿司で食べた中トロはコロッケにならなかった。

……こんな記述は、ほとんどの人にとって読む価値はない。それは書いている本人が誰よりもわかっている。ならばなぜ、ぐだぐだとこんなつまらないことを書いてきたのか。

それはひとえに、以下のことを言いたかったからだ。

新型コロナは風邪ではない。絶対に舐めたらダメだ。

オミクロンについていえば、その感染力は圧倒的だし、後遺症もバカにはならない。コンビニ弁当の冷えたコロッケの半切れと言うとバカみたいだけど、でも長く続けばけっこう深刻だ。

パンデミックはもうすぐ終わる!?

もうすぐ二〇二二年が終わる。引き続いたコロナ禍とロシアによるウクライナ侵攻と安倍元首相銃撃事件の一年だった。その年末ぎりぎりに、岸田政権による原発政策の見直しと防衛費増額と敵基地攻撃能力の保有が閣議で決定された。閣議とは何か。閣僚たちの密室会議。その閣僚たちは組閣以降、すでに四人が様々な不祥事で交代している。

原発政策の見直しを具体的に書けば、再稼働の推進と次世代型原子炉への建て替え、さらに最長六〇年と定められてきた運転期間の延長。これらの要素が示すことは、二〇一一年の東日本大震災時に起きた福島第一原発爆発の衝撃の忘却だ。

防衛費をGDPの二％にするならば、日本はあの戦争の惨禍を忘れないと決意した憲法九条を掲げながら、アメリカ、中国に次いで世界第三位の軍事国家になる。すべての戦争は自衛意識から始まると深く記憶したはずなのに、敵が攻撃してくると判断したなら先制攻撃は正当であるとする敵基地攻撃を正当化する。つまり戦争のメカニズムの忘却。あの戦争もアジアを欧米列強の脅威から救うことを大義としていたことを忘れている。

これを個人に喩えれば、自分の失敗や挫折、誰かへの加害は都合良く忘れるけれど、長い生涯で何度かはあった自分への称賛は決して忘れない人。

どうぞ好きに生きてください。ただしそんな人とは、僕は絶対に仲良くなれない。だって事あるごとに、「俺は世界から称賛されているんだよ」とか「どうしてこんなに世界から好かれているのかしら」などと口走る人なのだ。

パンデミックはもうすぐ終わる。この三年のあいだに起きたロシアによるウクライナ侵攻や中国のゼロコロナ政策の失敗、アメリカの議事堂襲撃事件などは、専制的で独裁的な政治の失敗を如実に示している。

それを言い換えれば、新型コロナによって高揚した集団化とその副反応といえるだろう。結果として身体に害をなす副反応は抑え込んだ。僕たちはたくさんの失敗をした。挫折もあった。自分たちの失敗や挫折を直視する。記憶する。傷だらけで前に進む。この原稿を書いているうちに年が明けた。二〇二三年。おせち料理の一部は相変わらず冷えたコロッケの味だけど、少しだけ回復しているような気もする。
　行きつ戻りつではあるけれど、何度も道に迷ったり転んだり滑ったりしているけれど、この社会と僕たちは、少しずつ前に進んでいると信じている。

（二〇二三年一月一日）

［ヘイト・差別］

切り捨てられる外国人労働者

安田浩一

安田浩一（ヤスダ・コウイチ）

一九六四年、静岡県生まれ。「週刊宝石」「サンデー毎日」記者などを経てフリージャーナリストに。事件・社会問題を主なテーマに執筆活動を続ける。ヘイトスピーチの問題について警鐘を鳴らした『ネットと愛国』（講談社）で二〇一二年の講談社ノンフィクション賞を受賞。一五年、「ルポ 外国人『隷属』労働者」（「G2」Vol・17）で第四六回大宅壮一ノンフィクション賞雑誌部門受賞。著書に『「右翼」の戦後史』（講談社現代新書）、『ルポ 差別と貧困の外国人労働者』（光文社新書）、『ヘイトスピーチ』（文春新書）、『団地と移民』（KADOKAWA）など多数。共著に『戦争とバスタオル』（亜紀書房）、『外国人差別の現場』（朝日新書）など。編著に『沖縄の新聞記者』（高文研）。

二〇二三年二月二〇日、東京地裁――。法廷から出ると、長谷川ロウェナさんは小さなガッツポーズを見せた。

判決はロウェナさんたちフィリピン人労働者六〇名の「完全勝利」だった。当然だ。被告は一度も期日に出廷することなく、要するに裁判そのものを無視したのだ。解雇の無効と未払い賃金（総額約二億円）の支払いを求めたロウェナさんたちの請求はそのまま認められた。

「おめでとう」。私がロウェナさんに声をかけると屈託のない笑顔が返ってきた。

「はい、よかったです」。声が弾んでいた。

もちろん判決通りにことが進むとは思わない。そんなことはロウェナさんだってわかっているはずだ。会社はこれまで、彼女たちとの話し合いからも、そして裁判からも逃げ続けている。そんな会社が簡単に賃金の支払い命令に応じることはないだろう。

せっかくの喜びに水を差してはいけないと思いつつ、それでも私はおそるおそる問うた。

「まだまだ闘いは続きそうですよね。大丈夫ですか？」

ロウェナさんは、こくりと頷き、そしてこう続けた。

「もともとゼロからスタートしたんですよ」

今度は私が頷いた。

「私たち、なにもないところから始めた。それでようやく、ここまで来た。まだまだがんばりますよ」

優しい笑顔の中に、覚悟と決意がにじみ出ていた。

ずっと、そうやって生きてきたのだなと思った。この日本で。外国人労働者を使い捨てにするような日本社会の中で。

○

ロウェナさんと初めて会ったのはその一カ月ばかり前のことだった。

「本当に、ひどいんです」

そう訴えるロウェナさんの顔には、憤りと不安の表情が浮かんでいた。

そして彼女の〝闘い〟の物語がはじまる。

ロウェナさんが長きにわたって勤めていたのは鶯谷（東京都台東区）のラブホテルだ。ベッドメーキングなどの清掃を担当していた。

ホテルの運営会社は関東で一〇件以上のラブホテルを経営し、そこで働く清掃担当は、そのほとんどがロウェナさんと同じくフィリピン人だった。

もともとラブホテル業界の労働力は、かつては高齢の日本人女性が中心だったが、九〇年代から中国人留学生がそれに代わり、以降、多国籍化が進んだ。同業界はコンビニや飲食店と同様、外国人労働力の貴重な受け皿として機能している。

従業員の間に激震が走ったのは二〇年七月のことである。新型コロナウイルス（以下、新型コロナ）の影響が深刻化した時期だった。

ホテルの運営会社が、全従業員に対して勤務時間の短縮を通告したのである。それまで週に六日勤務していたロウェナさんも、「週一勤務」を命じられた。勤務日数の大幅な削減だ。確かに新型コロナの影響で一時的に客足が落ちていた時期ではある。とはいえ、時間給で働く非正規労働者にとって、勤務時間の削減はすなわち収入減少を意味するものでしかない。当然、生活は苦しくなる。ロウェナさんもショックを受けたが、しかし、その通告を受け入れる以外の選択肢を見つけることはできなかった。

あるときテレビのニュースを見ていたら、新型コロナを理由に休業や時短勤務をさせられた労働者に対し、国が新型コロナウイルス感染症対応休業給付金（以下、休業給付金）を支給する制度があることを知った。ロウェナさんは会社側にそれを伝えた。同制度を利用すれば、すこしは補填が可能だと思った。

だが、会社の担当者は生返事するだけで、一向に手続きを進めようとはしなかった。業を煮やしたロウェナさんは、仲間のフィリピン人労働者たちと近隣のハローワークに足を運び、自分たちだけで申請手続きをおこなった。そこで驚くべきことが発覚する。なんと、会社側は労働保険（雇用保険、労災保険）に加入していなかったのだ。同保険は従業員を抱えている企業であれば加入が義務付けられているものだ。会社はそれを怠っていた。

「つまり、私たちは従業員として存在していなかったことになるんです。このホテルで一〇年近く働いてきました。なのに、私は幽霊みたいなものだった」

給付金支給は労働保険加入が条件となっていた。このまま会社の協力がなければ、支給金を受け取ることができない。

こうした局面になると、ロウェナさんの行動は早い。チェーン内の他ホテルで働くフィリピン人労働者にも声をかけ、個人加盟労組・全統一労働組合（東京都台東区）のアドバイスを受けた。約六〇人で労働組合を結成したのである。ロウェナさんは同労組のリーダー、すなわち分会長となった。

労組は地域の労働局などに相談の上、どうにか給付金支給にまでこぎつけるが、最悪の事態はそのあとに待っていた。

二一年一月、全従業員に対して会社側が解雇を通知したのである。

「本当に驚きました。同時に許せなかった」

労働保険にも加入しない会社である。従業員を粗末に扱っていることはわかっていた。だが、まさか一斉解雇するとは思わなかった。

毎日、朝の九時から夜の一一時まで働いてきた。賃金はどれだけ働いても東京都の最低賃金を数円上回るだけだった。

ラブホテルの清掃は、けっしてラクな作業ではない。一般的なホテルよりも部屋が汚れていることは多い。新型コロナをはじめ、様々な感染症に罹患するリスクもある。しかも短時間利用者が多いため、一日に数回転するのが普通だ。そうした職場で何年も働いてきたのだ。しかも残業したところで割増賃金が払われることもなかった（日本の労働法に詳しくない外国人労働者にとっては、けっして珍しいケースではない）。

そのうえで、問答無用のクビ切りである。

この会社が悪質なのは、日本語の読み書きが不自由なフィリピン人労働者だけを〝選抜〟し、「次の会社に移籍するために必要だから」といった理由で、日本語のみで書かれた退職届にサインさせたことだった。

私の手元に、会社側が「次の会社へ移籍するために必要」だとして従業員にサインを強要した退職届がある。「一身上の都合により退職します」の文言に続き、「残業手当、深夜手当、休日出勤手当、有給休暇を含め、何らの債権債務がないことを確認し、その余の一切の請求を放棄いたします」とあらかじめ印字されたものだ。

日本語の不自由なフィリピン人労働者はまさか一切の権利放棄を宣言するものだと思うことなく、会社側の言葉を信じてこれにサインしてしまった。

こんなにも外国人労働者を馬鹿にした行為があるだろうか。

後になって「だまし討ち」であることを知った労働者たちは、慌てて日本語が堪能なロウェナさんに相談。あらたに労組の仲間となったことは言うまでもない。

労組は団体交渉を通して、解雇撤回を申し入れるが、素直にそれを受け入れるような会社ではない。社長は連絡先さえ労組に伝えることを拒み、そのうち団体交渉にも出席しなくなった。解雇撤回を拒否し続ける会社に対し、労組は同年七月、ついに会社を提訴。解雇撤回と未払い賃金の支払いなどを求める裁判闘争を開始したのである。

その後の調べで、運営会社がラブホテルだけでなく、各種風俗店なども経営するレジャーグループを展開していることも判明した。だが、同社の法人登記などを調べてみると、会社の所在地は北海道の地方都市で、しかも学生が住むようなワンルームマンションの一室が「本社」となっていた。しかも人が住んでいる形跡は見られない。その後、本社を静岡市に移転したので私も同所を訪ねてみたが、そこもまた人の気配のない家屋だった。

多くのホテルや風俗店を傘下に収めながら、連絡を取ることのできる「本社」すら持たない同社は、果たして裁判で勝ったところで支払いに応じてくれるのかといった不安が組合員を襲う。

「バカにされてる。ガイジンだから」

ロウェナさんはそう何度も繰り返した。

例えば残業代に関しても、割増賃金の説明を受けたことなど一度もなかった。

「そんな制度が存在することすら知らなかった。会社の人は『稼ぎたいでしょ？ だったら長時間働いてもいいからね』としか言わなかったんです。私たちは簡単に見捨てられた」

そう話したときのロウェナさんの表情には、「見捨てられた」悔しさがにじみ出ていた。

ちなみにロウェナが働いていたホテルチェーンは大量解雇を実施した後、いまも営業を続けている。フィリピン人労働者の代わりに、今度はタイ人を雇用したのだ。営業不振が単なる口実であることは明白だ。権利主張するフィリピン人を会社が嫌ったことは明らかだった。

「簡単に人を切り捨てる。ガイジンだからですよ」

どんなに劣悪な待遇でもそれを受け入れ、おとなしく働いているうちは、安価で便利な労働力としての存在が認められる。だが、ひとたび権利主張すれば、邪魔な存在だとして放り出される。

私が取材先で幾度も目にしてきた風景だった。

たとえば技能実習生などがその典型だろう。

安価で使い勝手の良い実習生も、その立ち位置にとどまっている限りは、「ゲスト」程度には扱ってもらえる。地域の夏祭りでは浴衣を着せられ、盆踊りの輪の中に加えてくれる。母国の料理をふるまえば、「さすが本場は違う」と喜んでもくれる。それが国際交流なのだと胸を張る日本人は少なくない。

だが、ひとたび待遇に口をはさんだりすれば、たちまち生意気だと非難されてしまう。口の利き方がなっていないと、ときに暴力を振るわれる。

ガイジンはガイジンらしく――そうした醜悪な認識の押し付けが、外国人からあらゆる権利を奪う。

「当たり前の人間として認められたい」

それがロウェナさんの願いでもある。

○

ロウェナさんは一九六七年、フィリピンの首都・マニラの郊外で生まれた。

子ども時分は人気ドラマの影響を受けて「心理学者」になるのが夢だったという。主人公の心理学者が人の悩みを解決しながら未来を切り開いていく姿に憧れた。いま、労組のリーダーとして組合員の苦悩に寄り添っているのは「そのときの影響もある」と笑う。

だが貧しい家庭で生まれ育ったロウェナさんは、高等教育を受ける機会に恵まれなかった。出稼ぎで日本に来たのは八六年。日本での仕事を斡旋している知り合いに誘われた。知っている日本語は「サヨナラ」だけ。貧しい生家を助けるために話に乗った。バブル期でもある。少なくない国の人々にとって、日本はまだ輝いて見えた。富にあふれる「金持ちの国」だった。

日本人はみな、正直で優しい人たちなのだとも思っていた（すぐに幻想であることに気が付くが）。

ロウェナさんは生まれ育ったフィリピンに「サヨナラ」を告げて輝ける国に渡った。

どんな仕事を斡旋してもらえるのかも聞かされずに来日したロウェナさんは、「勤め先」としてあてがわれたスナックで働いた。長く水商売を続けたのは、それこそが日本社会の、いや、日本人男性の、それがフィリピン人女性に対する需要だったからだ。

一度は日本人男性と結婚もした。子どもも産んだ。

「ずっと生活と闘ってきた」。それがロウェナの人生だった。必死に働き続けることで、フィリピンに住む家族と、自分の子どもを守った。

ラブホテルに転職したのは九年前だ。

初めて見つけた昼間の仕事だった。

ラブホテルのベッドメーキングは重労働だったが、ロウェナさんはそれを苦痛だとは感じなかった。いや、そう感じないことで日々を乗り越えた。

「どんな仕事も苦しい。大変。楽な仕事なんて、どこにもない」

それがロウェナさんの信条でもある。だからこそ、不正や不条理だけは許せない。組合のリーダーとして闘いの先頭に立つのも、その責任感が彼女の背中を押すからだ。

大変でしたね――ロウェナさんの話を一通り聞き終えた私は、言葉を探しあぐね、結局、その程度の感想を漏らすことしかできなかった。ロウェナさんが繰り返す「ガイジン」という言葉の重みが、いや、その言葉の意味する日本の現状が、私を打ちのめしていた。

だが、そんな私の気の抜けたような感想を撥ねつけるように、ロウェナさんからは活きのいい弾んだ言葉が返ってきた。

「私、しぶといですから」

さっきまで苦渋に満ち満ちた顔をしていたロウェナさんは、そこにいなかった。眼鏡の奥で、決意と覚悟にあふれた瞳がまっすぐ私に向けられている。なめてもらっては困るのだとも言いたげな視線がしっかり私を捉えていた。

彼女もう一度、同じ言葉を繰り返した。

「しぶといんですよ。私、あきらめないから」

小柄で一見柔らかな印象を与えるロウェナさんが、このときだけは大きく見えた。全身から気魄《きはく》が溢れている。

社会を変えていくのは、きっとこういう人なのだと思った。

いま、日本をどう思いますか？

私の問いに、ロウェナさん、今度はしばらく考え込んだ。そして、続ける。

「はじまりがあれば、終わりもあるね」

禅問答のような言葉は、しかし、ロウェナさんの今の気持ちを示したものだろう。「はじまり」も「終わり」も自分で決める。誰かに運命を握られるのだけは嫌だ。

ロウェナさんが日本で獲得したのは、いや、獲得せざるを得なかったのは、「ガイジンというだけでバカにされる」日本社会で生き残るために必要な強い覚悟だった。

「大丈夫。ちゃんとやる」

そんな言葉を残して、ロウェナは「復職するまで」と決めたアルバイト先に向かった。

小さなからだが黄昏時《たそがれどき》の繁華街に消えていく。

たぶん、彼女は「ちゃんとやる」。そうに違いない。私はそう信じた。

実際、そうしたからこそ、裁判にも勝った。ロウェナさんは「ちゃんと」やるべきことをした。生真面目に闘った。

ロウェナさんだけじゃない。裁判の原告となったフィリピン人労働者たちは、皆が諦めなかった。この先の展開に不安もあるに違いない。逃げ続ける会社が裁判の判決に素直に応じることは考えにくい。それでも、彼女たちは闘いを放棄しないだろう。そう、「ちゃんとやる」。これまでそうしてきたように、これからもそうやって、この日本で生きていく。

だが——彼女たちだけにそれを強いてよいのか。

本来、「ちゃんとやる」べきは、日本社会のほうではないか。

使い倒し、踏み倒す。そんな社会のあり方を、もっともつらい思いをした人々が変えようとしている。

「ちゃんと」していない日本社会の姿を私は思うのだ。


（二〇二三年二月二三日）

「新型コロナウイルスと私たちの社会」関連年表（二〇二二年一月～一二月）

2022年

1月

1日　全国各地で、元日から新型コロナ対応の発熱外来／2日　沖縄で感染拡大。「かつてないスピードで」と玉城知事／3日　イスラエルで四回目のワクチン接種がはじまる／4日　国民のワクチン接種、一回目七九％、二回目七八％／5日　ヨーロッパとアメリカで感染拡大／6日　「第六波に突入」と日本医師会の会長／7日　東京で一二二四人感染。一〇〇〇人超は去年九月一五日以来／8日　全国でオミクロン株が市中感染の疑い／9日　沖縄・山口・広島の「まん防」適用へ／10日　尾身会長らが追加接種と飲み薬の供給体制整備の加速を首相に要望／11日　三回目接種の前倒しを岸田首相が指示／12日　ヨーロッパと中央アジア、この六～八週間で人口の半数超が感染とWHO／13日　アメリカで一日の感染者が一四〇万人を超える／14日　濃厚接触者の待機期間を一四日間から一〇日間に短縮すると首相／15日　全国の感染者数が二万五〇〇〇超に／16日　テレワークや時差出勤は限定的、NHK世論調査／17日　阪神淡路大震災から二七年／18日　一三都県に「まん防」適用へ／19日　抗原検査キットなどを買い取り保証で増産を促すと厚労相／20日　子どものワクチン接種、対象を五歳以上に拡大／21日　「まん防」適用が一六都県に拡大／22日　東京、感染者数が一万二二七人で初の一万人超／23日　米CDCが、オミクロン株は三回接種で入院防ぐ効果が九〇％と／24日　濃厚接触者は検査なしでも感染だと医師が判断可能に／25日　「接種の有無で差別的取り扱いは不適切」とワクチン相／26日　航空会社の旅客需要が感染拡大前の四割に／27日　「まん防」適用が三四都道府県に／28日　濃厚接触者の待機期間が一〇日間から七日間に／29日　新型コロナのワクチン接種が世界で一〇〇億回に。先進国と途上国で差／31日　東京、自ら健康観察を行う「自宅療養サポートセンター」の運用開始

2月

1日　Spotifyがワクチン誤情報の配信を禁止する新基準を作成／2日　新型コロナの全国感染者数が八万一六五四人に／3日　コンテナの不足や物流の混乱など解消の見込み立たず、海運大手三社／4日　ファイザーのワクチン三回接種で抗体が五〇倍と国の研究班／5日　米の新型コロナ死者が九〇万人を超える／6日　テレワークをしている人の割合が過去最低。日本生産性本部の調査で／7日　ワクチン接種、一日一〇〇万回の実現を首相が閣僚に指示／8日　一三都県の「まん防」、延長へ／9日　医療機関や高齢者施設でのクラスターが過去最多と厚労省／10日　感染が高齢者と一〇代以下に二極化と尾身会長／11日　新型コロナの飲み薬、ファイザー製を厚労省が承認／12日　水際対策を緩和の方向で検討と首相／13日　外国人の新規入国を五〇〇〇人程度まで引き上げ／14日　新型コロナの自宅療養者が五四万人余で過去最多／15日　国内感染者数が四〇〇万人を超え、直近の一二日間で一〇〇万人増／16日　1週間に全国で確認されたクラスターが一二二七件で過去最多／17日　オミクロン株BA・2の市中感染の事例を都内で初確認／18日　「まん防」、一七道府県の延長と五県の解除を分科会に諮問／19日　失業や収入源についての全国一斉の無料電話相談がおこなわれる／20日　三回目接種、今月で最大七五万回。目標の一〇〇万回に届かず／21日　新年度の予算案が衆院予算委で可決／22日　新型コロナの一日の死者が三一九人となり過去最多／23日　韓国の新規感染者が一七万人余で過去最多／24日　二二の都府県で病床使用率が五〇％

を超える／25日　大規模な感染拡大が長期化すると医療危機も、と都モニタリング会議／26日　米のCDCが、感染が落ち着いた地域でマスク着用不要と指針／27日　国内感染の主流はオミクロン株BA1・1と東京医科歯科大／28日　全面休園の保育所やこども園が全国で七七三カ所

3月

1日　仏で美術館や飲食店など、ワクチン証明があればマスク着用義務を撤廃／2日　新規感染者数がしばらく高いレベルで推移と厚労省専門家会合／3日　生活保護の申請件数が昨年より五・一%増／4日　直近二カ月の新型コロナ死者数、九〇%余が七〇代以上／5日　新型コロナの影響で大学などを中退する学生が昨年度の一・四倍に／6日　今後三年間で従業員を増やす見通しの企業が七割、内閣府調査／7日　世界の新型コロナ死者数が六〇〇万人を超える、WHO／8日　米のニューヨーク市、マスク着用や接種証明などの規制を撤廃／9日　高齢者施設を中心にクラスターが過去最多に／10日　経済的に困窮する外国人留学生と日本の学生に一〇万円支給／11日　全米五〇州でマスクの着用義務がなくなる／12日　新型コロナの影響で国内の結婚数が一一万件減の可能性、東京財団／13日　BA・2に抗ウイルス薬は効果がある、東大など／14日　ワクチン接種を三回受けた人が全人口の三割超に／15日　昨年の自殺者は二万一〇〇七人。一昨年より微減、女性は増加／16日　すべての地域で「まん防」を解除の方針と首相／17日　米のFRBが〇・二五%の利上げ、ゼロ金利を解除／18日　日銀、大規模な金融緩和策を維持／21日　中国で感染拡大、上海ディズニーランドが休園／22日　英で感染拡大、四回目のワクチン接種開始／23日　ワクチン接種の可能年齢を一二歳以上に拡大／24日　全国のスーパー、売上が六カ月連続で前年を上回る／27日　公立病院の看護師、コロナ禍で「辞めたいと思ったことがある」が七割／28日　感染が拡大す

る中国・上海市で市内全域を対象にPCR検査を実施／29日　国内の在留外国人数が二七六万人、二年連続で減少／30日　コロナ禍で困窮する女性の売春が増加、警視庁／31日　イベルメクチン、新型コロナの入院予防効果が認められず、ブラジル

4月

1日　BA・2への急速な置き換わりが見られると小池都知事／2日　アベノマスク、希望者に配布開始。先月までの保管費用は九億円超／3日　中国・上海で新型コロナ感染者数が過去最多
4日　後遺症の発症は半数近くが回復後に見られる、東京都／6日　新型コロナの感染者、七割以上がBA・2、米CDC／8日　ワクチン接種の普及に向けて、日本政府が途上国に五億ドルの追加拠出／9日　感染しても入院できない人が六〇〇〇人を超える／10日　一日当たりの入国者数の上限を一万人に／11日　ワクチンの三回目接種、人口の四五％超に／12日　オミクロン株のXEを国内で初確認／13日　新型コロナの感染者数が世界で五億人超／14日　政府、「まん防」の適用に慎重な姿勢／15日　ワクチン調達にこれまで二兆四〇〇〇万円をかけたと政府／16日　相次ぐ新型コロナ後遺症への相談に、厚労省が調査開始／18日　ワクチンの三回目接種、二〇代と三〇代は三割を切る／19日　ブラジルが新型コロナの緊急事態宣言を解除、二年ぶり／20日　米で公共交通機関でのマスク着用への賛否が分かれる／21日　リオのカーニバルが開催される、二年ぶり／22日　ワクチンの四回目接種、前回接種から五カ月の間隔で／24日　コロナ後遺症、感染半年後も嗅覚異常ありが一〇％余に、国の研究班／25日　ワクチンの三回目接種、人口の半数を超える／27日　米で人口の六割近くが新型コロナ感染、CDC／28日　第六波で自宅療養の死亡者が先月までに五五五人に上る、厚労省／30日　都内のコロナ無料検査会場に多くの人が訪れる

5月

1日　東京スカイツリー、三年ぶりの営業でにぎわいを取り戻す／2日　制限なしの大型連休は三年ぶり、人の移動が感染拡大以前の約八割に／6日　中国の指導部が「ゼロコロナ政策」の堅持の姿勢を示す／7日　新型コロナ、国内で三万九三二七人が感染、二七人死亡／9日　高速道路や新幹線の利用がコロナ前の七割余まで回復／10日　中国のゼロコロナ政策は「持続可能と思えない」とWHO事務局長／12日　人との距離が十分なら屋外でのマスク着用は不要と首相／13日　マスク着用のあり方について政府統一見解を、と小池都知事／14日　新型コロナで労災認定、昨年度は一万九〇〇〇件余に／17日　来月の公式戦から声出し応援を段階的に導入とJリーグ／18日　米での新型コロナ死者が一〇〇万人を超える／19日　大相撲、二年八カ月ぶりの夏巡業を発表／20日　二六万人余が発熱の北朝鮮、感染拡大の歯止めかからず／21日「収入がコロナ前の水準に戻らず」が二六％、民間調査／22日　コロナ禍の利用者減、大手私鉄で運賃値上げの検討が相次ぐ／23日　屋外で会話がほぼない場合マスク不要、政府が方針変更／24日　屋外のほかプールや体育館でもマスク不要、文科省が通達／25日　六〇歳以上などを対象にワクチンの四回目接種が始まる／26日　外国人観光客を来月一〇日から再開すると首相／27日　ノババックスの新型コロナワクチン、都内で接種開始／31日　雇用調整助成金の特例措置が九月末まで延長、厚労省

6月

1日　外国人観光客の受入れは「感染状況を踏まえ段階的に緩和」と官房長官／2日　全国で児童館の利用者が大幅に減少、新型コロナが影響／3日　新型コロナの中等症以上の感染者で「一年後

も後遺症」が一四％／7日　薬剤師の対面指導なしで抗原検査キットを薬局で買えるよう検討／8日　専門家会合、夏には感染者の増加を懸念／10日　首相、新型コロナの感染対策に関する司令塔機能の強化を厚労相に指示／11日　サッカーJリーグ、声出し応援を再開／14日　新型コロナは二類相当から「脱却したほうが」と都医師会会長／15日　新型コロナ有識者会議の報告書で「病床確保の措置が不十分」と／16日　政府が内閣感染症危機管理庁の設置を決定／19日　新型コロナのワクチン、五歳未満にも接種を「推奨」と米ＣＤＣ／20日　行動規制の緩和でコンビニの売り上げが三カ月連続で増加／22日　新型コロナの変異株「ＢＡ・４」が国内で初確認／24日　新型コロナ感染者数、全国では横ばい、二三都県では前週増／28日　中国、海外からの入国者隔離の期間を七日間に短縮／29日　専門家会合が全国での感染拡大を懸念、ＢＡ・５が主流に／30日　新型コロナ給付金の性風俗業への不支給は「合憲」と東京地裁

7月

1日　新規感染者数が全国で増加、三二都府県で前週増／4日　三回目接種、全人口の六二％に／7日　韓国で新型コロナ新規感染者が前週の約二倍に／9日　中国、ゼロコロナ政策で若者を中心に雇用環境が悪化／10日　プロ野球、ヤクルトで二七人が新型コロナに感染、試合は中止／11日「第七波に入った」と大阪府知事／12日　新型コロナが年代を問わず急拡大と専門家会合／14日「一週間後には経験のない爆発的な感染」と都の専門家／15日　新たな行動制限はせず社会経済回復を、と首相／20日　全国の感染者数一五万二五三六人で過去最多／22日　濃厚接触者の待機期間を五日間に短縮／25日　全国の病院で救急患者受け入れや手術延期、医療従事者感染で／26日　抗原検査キットを政府が買い上げ、薬局で無料配布の方針／27日　感染者・濃厚接触者の増加で社会

活動に影響と専門家会合／28日　一週間当たりの新規感染者、日本が世界最多とWHO／29日　都道府県独自に「BA・5対策強化宣言」を導入せよと政府／30日　政府が、新型コロナの五類への引き下げは「現実的でない」と

8月

2日　「軽症者は受診を控えて」と医療四学会が声明、医療逼迫で／3日　都が陽性者登録センター開設、感染者は自主検査してオンライン登録／4日　「誰もがいつどこで感染してもおかしくない」と都の専門家／6日　新型コロナの自宅療養者が一四三万八〇〇〇人余で過去最多／8日　オミクロン株対応ワクチンの接種開始は一〇月中旬以降と厚労省／9日　一週間の「搬送困難事例」が六五八九件で過去最多に／10日　「もっとも高い感染レベル」と専門家会合／11日　一週間当たりの新規感染者、三週連続で日本が世界最多とWHO／12日　米CDCが新型コロナの接触者は隔離不要と／14日　沖縄で新型コロナの病床使用率が一〇〇％超／15日　新型コロナの自宅療養者が一五四万四〇九六人で過去最多／16日　新型コロナ感染者の全数把握を見直しを検討と厚労相／17日　抗原検査キットのネット販売を解禁／18日　都で新型コロナの入院患者数が過去最多／19日　新型コロナの全国感染者数が二六万一〇二九人で過去最多／20日　都で一七〇人が人工透析用の病床に入院できず／21日　岸田首相が新型コロナに感染／23日　政府の水際対策、観光目的の外国人入国制限を緩和／24日　「感染者数が早期に減少する可能性は低い」と専門家会合／25日　「県民割」を九月末まで延長と政府／26日　雇調金の特例措置に関して、助成金の上限を引き下げると厚労省／27日　新型コロナの後遺症で最大四〇〇万人が働けないと米のシンクタンク／29日　ワクチン三回接種終了は全人口の六四・三％／30日　オミクロン株対応ワクチンの接種、九月中に開始

に変更と政府／31日　抗原検査キットのネット販売が始まる

9月

2日　全数把握の見直し、四県で運用開始／6日　新型コロナの療養期間、症状ありで七日間、無症状は五日間に／7日　自宅療養者と無症状者の外出制限を緩和／8日　都で一〇歳未満の新規感染が増加／9日　新型コロナワクチン、接種後死亡の二人に一時金支給が決定／10日　水際対策、入国者数の上限撤廃を検討すると副官房長官／14日　オミクロン株対応のワクチン、来週から接種開始に／15日　新型コロナ「終わりが視野に」とWHO事務局長／16日　新型コロナの感染者減もインフルエンザとの同時流行を懸念、専門家会合／23日　水際対策、一〇月一一日から入国者数の上限撤廃と首相／24日　新型コロナの全国感染者数は三万九二一八人／26日　感染者の全数把握簡略化が全国で一律に開始／30日　一〇月一一日から全国旅行支援、実施は各都道府県の判断で

10月

2日　新型コロナの影響で自宅でなくなる人の割合が増加と国の統計／5日　オミクロン「BA・5」対応のワクチンを使用承認、厚労省／7日　「感染症法」などの改正案を閣議決定／8日　新型コロナの後遺症、重症患者の半数が一年後も認知機能の不調／11日　水際対策、大幅に緩和／「屋外でのマスク着用は原則不要」のルール、行き渡ってないと厚労相／13日　米で新型コロナ「BA・5」対応のワクチンの接種対象を五歳以上に／14日　新型コロナ治療薬「アビガン」が開発中止に／15日　都の大規模接種会場で「BA・5」対応のワクチンの接種が始まる／18日　米で

新型コロナとインフルエンザ双方のワクチン接種を呼びかけ／19日　ワクチン三回目以降の接種間隔を五カ月から三カ月に短縮／20日　WHOが新型コロナの「緊急事態」宣言を当面継続する方針と表明／24日　生後六カ月から四歳までの子どもを対象にした新型コロナワクチンの配送開始／27日　第八波での感染は八〇〇万人、ワクチン接種で三割減と京大の西浦教授／28日　オミクロン株の変異ウイルス「XBB」を都内で確認

11月

1日　オミクロン「BA・5」対応のワクチン接種進まず。全人口の四%／4日　都の新規感染者数の一週間平均が前週比一三〇%に／7日　全国の新規感染者数、一週間平均が前週比で増加／8日「第八波に入りかけ」と都の医師会長／9日　オミクロン株と同程度なら「行動制限せず」と官房長官／10日　新型コロナ新規感染者数、北海道で過去最多の九五四五人／11日　接触確認アプリ「COCOA」、一七日から停止に／15日　新規感染者数、北海道と東京都で一万人超／20日　ワクチンが打てない路上生活者などの感染拡大を懸念、NPO「TENOHASI」／22日　塩野義製薬の新型コロナ飲み薬「ゾコーバ」を厚労省が承認／25日　全国旅行支援、年明け以降も継続する方針と国交相／30日　中国、学生がゼロコロナ政策に反発して大規模な抗議行動

12月

1日　新型コロナ、感染症法上の扱いに関する議論を専門家会合で本格化へ／5日　中国、ゼロコロナ政策への抗議活動が増加し、各地で感染対策を見直す動きが／9日　成田空港の国際便の数が

コロナ前の半数以下／13日　新型コロナワクチンの無料接種の見直しについて分科会での議論が始まる／14日　新型コロナ感染者のうち療養期間後にも症状が残る人は半数近くと阪大の調査で／15日　新型コロナ感染者の葬儀について「最後の別れ」ができるように見直しへ／17日　オミクロン株対応ワクチン、発症を防ぐ効果が七一％と国立感染研／18日　感染拡大で解熱鎮痛剤やせき止めの入手が困難に／21日　新型コロナの全国感染者数が約四カ月ぶりに二〇万人超／22日　都の医療提供体制が「もっとも深刻」なレベルに／26日　医療関係者の新型コロナ感染で医療逼迫の可能性が／27日　中国の新型コロナ感染拡大で緊急水際措置を三〇日から実施と首相／中国、一月八日から入国者の隔離措置を撤廃／29日　新型コロナの一日の死者が四二〇人で過去最多／30日　新型コロナの新規感染者数が一四万八七八四人に／31日　新型コロナ、感染で抗体を持つ人の割合は全国で二八・六％と国立感染研

参考資料…ＮＨＫ、朝日新聞、毎日新聞、東京新聞、ロイター、ＡＦＰなど

論創ノンフィクション 036
定点観測
新型コロナウイルスと私たちの社会 2022年後半

2023年4月1日　初版第1刷発行

編著者　森　達也
発行者　森下紀夫
発行所　論創社
東京都千代田区神田神保町 2-23　北井ビル
電話　03（3264）5254　振替口座　00160-1-155266

カバーデザイン　奥定泰之
組版・本文デザイン　アジュール
印刷・製本　精文堂印刷株式会社
編　集　谷川 茂

ISBN 978-4-8460-2230-3 C0036

二〇二〇年。突如、得体の知れないウイルスが現れ、世界中を不安な気分にさせた。新型コロナウイルス。その正体が少しずつ明らかになってくると、ワクチンが登場する。同年九月、『定点観測 新型コロナウイルスと私たちの社会』シリーズの第一弾が刊行された。

一年が経ち、二年が経つ。各国は様々な方策で新型コロナと対峙した。日本では、政府が旅行を推奨するたびに感染爆発が起こった。たびたび緊急事態宣言やまん延防止等重点措置が適用され、特に飲食店は苦しんだ。それでも日本社会は、他国に比べれば新型コロナと真正面から向き合ってきたようにも見える。

三年目の二〇二二年。感染者の全数把握が見直され、行動規制もなくなり、市中感染の度合いが不明になった。誰が新型コロナに感染しているのかわからない。それでも停滞した経済をまわす。そして、二〇二三年一月には新型コロナの死亡者数が過去最高を記録した。

ウィズコロナは可能なのか。答えがわからぬ中、本シリーズはいったん幕を閉じる。だが、それぞれのテーマにくわしい執筆者が三年にわたって定点観測をした記録（半年に一冊で計六冊）は、唯一無二のものである。後日、新型コロナと社会の関係を振り返るときに、必ず役立つものになると信じている。

二〇二三年二月二八日　論創ノンフィクション編集部　谷川茂

第　1　弾

論創ノンフィクション 005

森 達也 編著

定点観測
新型コロナウイルスと私たちの社会
2020 年前半

定価：本体 1800 円＋税

【医療】斎藤環
【貧困】雨宮処凛
【女性】上野千鶴子
【労働】今野晴貴
【文学・論壇】斎藤美奈子
【ネット社会】ＣＤＢ
【日本社会】武田砂鉄
【哲学】仲正昌樹
【教育】前川喜平
【アメリカ】町山智浩
【経済】松尾匡
【東アジア】丸川哲史
【日本社会】宮台真司
【メディア】望月衣塑子
【日本社会】森達也
【ヘイト・差別】安田浩一
【難民】安田菜津紀

100 年に一度と言われる感染症の蔓延に、私たちの社会はどのように対応したのか、また対応しなかったのか。深刻な事態を風化させないために記録しよう、という共通の思いで、森達也のかけ声のもと、最強の論者たちが集結した。本企画では、コロナ禍の日本社会を定点観測する。まずは 2020 年の上半期を対象に、第 1 弾である本書を刊行。以降、3 年にわたって観測を継続したい。コロナ禍における日本の動向を記憶するための必読書。

第 3 弾

論創ノンフィクション 014

定点観測

新型コロナウイルスと私たちの社会

2021 年前半

森 達也 編著

定価：本体 2000 円＋税

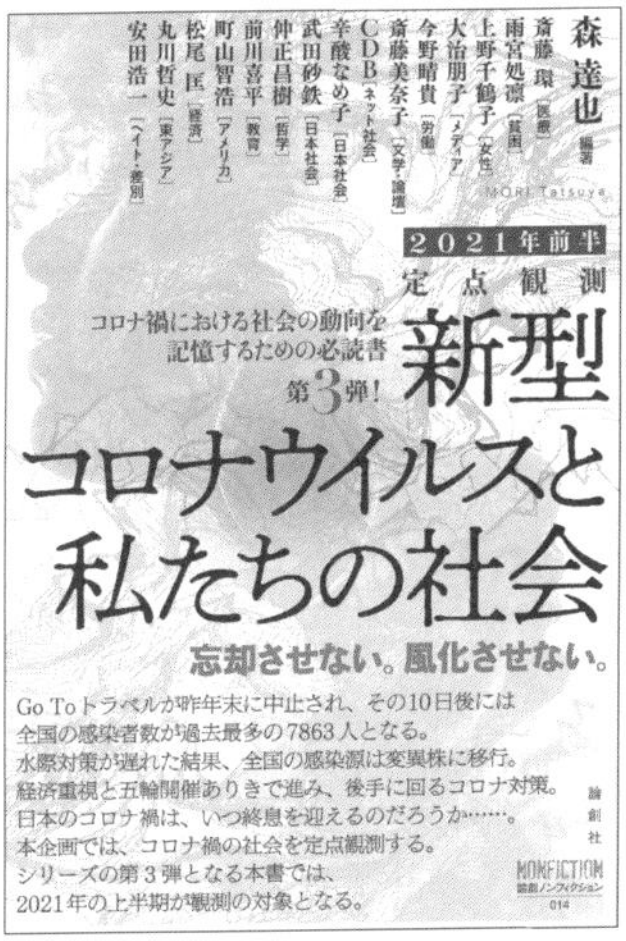

【医療】斎藤環

【貧困】雨宮処凛

【女性】上野千鶴子

【メディア】大治朋子

【文学・論壇】斎藤美奈子

【ネット社会】ＣＤＢ

【日本社会】辛酸なめ子

【日本社会】武田砂鉄

【哲学】仲正昌樹

【教育】前川喜平

【アメリカ】町山智浩

【経済】松尾匡

【東アジア】丸川哲史

【日本社会】森達也

【ヘイト・差別】安田浩一

Go To トラベルが昨年末に中止され、10 日後には全国の感染者数が過去最多の 7863 人となる。水際対策が遅れた結果、全国の感染源は変異株に移行。経済重視と五輪開催ありきで進み、後手に回るコロナ対策。日本のコロナ禍は、いつ終息を迎えるのだろうか……。本企画では、コロナ禍の社会を定点観測する。シリーズの第 3 弾となる本書では、2021 年の前半が観測の対象となる。